실어증 회복 챌린지
언어재활 워크북 고급

저자 : 황윤경 권한슬 장영진
곽현희 방석미 이라온

창조와지식

실어증 회복 챌린지
언어재활 워크북 <고급>

초판 1쇄 발행 2023년 07월 06일

지은이_ 황윤경 권한슬 장영진 곽현희 방석미 이라온
펴낸이_ 김동명
펴낸곳_ 도서출판 창조와 지식
디자인_ (주)북모아
인쇄처_ (주)북모아

출판등록번호_ 제2018-000027호
주소_ 서울특별시 강북구 덕릉로 144
전화_ 1644-1814
팩스_ 02-2275-8577

ISBN 979-11-6003-625-1

정가 18000원

실어증 회복 챌린지

언어재활 워크북

고급

_대표 저자

황윤경
University of Utah 언어학 학사 취득
연세대학교 언어병리학과 박사 취득
現 더숲 언어심리상담센터 센터장
現 용인대학교, 한림대학교, 한림국제대학원대학교 겸임교수
前 신촌세브란스 재활병원 언어재활사

_공동 저자

권한슬
혜전대학교 언어재활학과 학사졸업
現 더숲 언어심리상담센터 언어재활사

장영진
대림대학교 언어치료학과 졸업
용인대학교 재활복지대학원 언어치료학과 석사과정
現 리엔리 언어심리학습센터 언어재활사

곽현희
용인대학교 재활복지대학원 언어치료학과 석사과정

방석미
제주국제대학교 언어치료학과 학사 졸업
용인대학교 재활복지대학원 언어치료학과 석사 과정

이라온
용인대학교 재활복지대학원 언어치료학과 석사과정

문장 이해

문장 표현

문단 이해

문단 표현

실어증은 과연 회복이 되나요?

예전처럼 완전히 말할 수 있을까요?

실어증은 뇌손상이나 퇴행성 질환으로 인해 언어 및 의사소통 능력에 어려움을 보이는 상태를 의미합니다. 실어증 유형에 따라 상대적으로 언어능력이 보존된 영역과 손상된 영역의 중증도가 다르지만, 전반적으로는 말하기, 이해하기, 쓰기, 읽기의 모든 영역에서 기능적인 손상을 보입니다.

실어증 환자들은 예상치 못하게 겪게 되는 의사소통 장애로 인해 매우 답답하고 분노나 우울감을 느낍니다. 또한, 앞으로의 생활 변화에 대해 두렵고 불안합니다. 환자뿐만 아니라 곁을 지키는 가족과 보호자 역시 무력감과 과도한 책임감으로 큰 스트레스를 받는 어려운 상황일 것입니다.

과연 언제 정상으로 돌아올 수 있을까? 회복이 되기는 할까?

실어증은 개인의 상태와 중증도에 따라 회복 예후에 큰 차이를 보입니다. 최종 회복 수준에는 차이가 있으나 일반적으로는 회복 가능성이 매우 큰 기능장애입니다. 실어증은 뇌가소성 이론에 근거하여 발병 초기에 시기적절한 언어재활훈련을 하여 최대한의 기능을 회복할 수 있습니다. 인간의 뇌는 지속해서 새롭게 학습하며 활동을 반복함으로써 복원력을 보이기 때문입니다.

특히 발병 초기의 집중적인 언어재활훈련과 정기적인 연습은 뇌의 언어 및 인지 영역을 활성화시킴으로써 복구 및 보완이 가능한 언어장애 증상을 최적화하는데 큰 도움이 됩니다.

실어증 환자의 일상적인 의사소통 능력 회복과 사회적 상호작용을 개선하기 위해 개발된 다양한 언어치료 훈련 프로그램을 소개합니다.

가정에서도 환자 스스로, 혹은 보호자와 함께 다양한 유형의 언어재활훈련을 통해 차근차근 실어증 회복 챌린지를 수행할 수 있도록 수준별 워크북 형태로 제작하였습니다. 난이도 〈초급〉편에서는 단어 수준부터 간단한 구와 문장 수준을 연습하고, 〈고급〉편에서는 조금 더 복잡한 문장 수준부터 문단 수준까지의 훈련에 초점을 맞추어 문항을 구성하였습니다.

다시 한번 강조하자면, 실어증은 환자의 의지력과 꾸준한 훈련으로 회복 가능한 최대의 개선을 이룰 수 있습니다. 끈기 있게 하루하루 나아갈 때 소중한 개선과 회복이 이루어집니다. 본 워크북을 활용하여 언어재활 과정에서 환자와 보호자가 능동적으로 목표를 정하고 훈련해 보시길 추천해 드립니다.

언어인지 기능을 회복하고 일상에서 세상과 소통하는 기쁨을 누리시길 기원합니다.

– 저자 일동

감사의 글

이 책을 출판하기까지 많은 분의 도움이 있었습니다.

공동 집필에 처음 동기부여를 해주신 용인대학교 김수정 선생님께 감사드립니다.
용인대학교 재활복지대학원 언어치료학과 2023년 신경언어장애 수업 선생님들의 적극적인 참여와 참신한 아이디어로 다양한 문항을 수록할 수 있었습니다.
응원하고 함께 기뻐해 주신 용인대학교 정경희 교수님, 감사합니다.

문항 유형 개발에 도움을 주신 더숲 언어심리상담센터 권한슬 선생님께도 감사의 마음을 전합니다.

지적 호기심을 잃지 않고 다양한 모험의 여정을 걸어가는 동안, 수년의 세월이 흘렀음에도 불구하고 대학원 시절 지도교수님의 포용적인 멘토링이 저에게 지울 수 없는 영향력으로 자리하고 있습니다. 연세대학교 언어병리학과 김향희 교수님께 존경을 표합니다.

집필하는 동안 항상 옆에서 응원하고 기다려준 모모, 동윤, 서윤 사랑합니다.

- 대표 저자 황윤경

실어증 회복 챌린지

언어재활 워크북

문장 이해

- ❖ 1단계 지시수행
- ❖ 2단계 지시수행
- ❖ 지시 따르기
- ❖ 예-아니오 대답하기 (개인)
- ❖ 예-아니오 대답하기 (사실)
- ❖ 낱말 찾기 (1)
- ❖ 낱말 찾기 (2)

- ❖ 문장 완성 (1)
- ❖ 문장 완성 (2)
- ❖ 3단계 지시수행
- ❖ 비교 선택하기
- ❖ 속담 찾기
- ❖ 속담 뜻 찾기
- ❖ 관용구 찾기
- ❖ 관용구 뜻 찾기

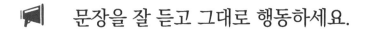 문장을 잘 듣고 그대로 행동하세요.

(1) 귀를 잡아보세요.

(2) 고개를 숙여보세요.

(3) 주먹을 쥐어보세요.

(4) 한쪽 눈을 감아보세요.

(5) 입을 가리세요.

(6) 양손을 올리세요.

(7) 입술을 내미세요.

(8) 어깨를 만지세요.

(9) 손을 흔드세요.

📢 문장을 잘 듣고 그대로 행동하세요.

(10) 미소 지어 보세요.

(11) 윙크해 보세요.

(12) 눈을 세 번 깜박이세요.

(13) 무릎을 한 번 치세요.

(14) 손뼉을 치세요.

(15) 발을 쳐다보세요.

(16) 양손을 마주 잡아보세요.

(17) 고개를 오른쪽으로 돌리세요.

(18) 오른손을 올려보세요.

문장 이해

📢 문장을 잘 듣고 그대로 행동하세요.

(19) 이마를 손으로 짚어보세요.

(20) 코를 만지세요.

(21) 팔꿈치를 만지세요.

(22) 입을 벌리세요.

(23) 눈을 감으세요.

(24) 오른발을 들어보세요.

(25) 입술을 모아보세요.

(26) 기침을 해보세요.

(27) 노크해 보세요.

📢 문장을 잘 듣고 그대로 행동하세요.

(28) 혀를 내밀어보세요.

(29) 왼손으로 오른쪽 귀를 만지세요.

(30) 두 번째 손가락으로 볼을 찔러주세요.

(31) 머리를 만지세요.

(32) 왼쪽 어깨에 손을 대세요.

(33) 왼손을 올려보세요.

(34) 고개를 뒤로 젖히세요.

(35) 새끼손가락을 펴세요.

(36) 손을 뻗으세요.

📢 문장을 잘 듣고 그대로 행동하세요.

(1) 책상을 한 번 치고, 머리를 만져주세요.

(2) 눈을 감고 목을 만져보세요.

(3) 입술을 만지고, 손을 모아 주세요.

(4) 문을 가리키고, 손을 흔들어 주세요.

(5) 박수를 세 번 치고 주먹을 쥐세요.

(6) 코를 만지고 손을 흔들어주세요.

(7) 손을 들고 눈을 감아보세요.

(8) 오른손을 들고 '아'하고 소리내어 보세요.

(9) 고개를 왼쪽으로 돌리고 볼을 부풀려보세요.

📢 문장을 잘 듣고 그대로 행동하세요.

(10) 코를 만지고 귀를 만지세요.

(11) 머리카락을 넘기고 브이를 해보세요.

(12) 손으로 입을 가리고 하품해보세요.

(13) 코끼리 코를 하고 눈을 감으세요.

(14) 손을 브이하고 윙크를 하세요.

(15) 손뼉 치고 어깨를 두드리세요.

(16) 책상을 두 번 치고 눈을 깜빡이세요.

(17) 손가락으로 약속하고 도장 찍는 손짓을 해주세요.

(18) 박수를 두 번 치고 손바닥을 보여주세요.

문장 이해

📢 문장을 잘 듣고 그대로 행동하세요.

(19) 책상을 가리키고 손을 들어주세요.

(20) 눈을 감고 어깨를 두드리세요.

(21) 손뼉을 치고 무릎을 가리키세요.

(22) 주먹을 쥐고 책상을 한 번 쳐보세요.

(23) 발을 구르고 손을 터세요.

(24) 입을 벌리고 문을 가리키세요.

(25) 눈을 감고 혀를 내밀어보세요.

(26) 박수 치고 만세를 하세요.

(27) 혀를 내밀고 눈은 위를 보세요.

📢 문장을 잘 듣고 그대로 행동하세요.

(28) 두 손을 만세하고 입을 벌리세요.

(29) 고개를 좌우로 흔들고 눈을 감으세요.

(30) 고개를 들어 천장을 보고 박수를 치세요.

(31) 주먹을 두 번 쥐었다 펴고 어깨에 손을 올리세요.

(32) 미소를 지으면서 배를 만져주세요.

(33) 눈을 감았다 뜨고 코를 잡으세요.

(34) 머리 위로 동그라미를 만들고 앞으로 팔을 뻗으세요.

(35) 박수 치고 귀를 만져주세요.

(36) 왼쪽을 보며 오른손을 뺨 위에 올리세요.

📢 문장을 읽고 그대로 수행해보세요.

(1) 동물에 동그라미를 치세요.

| (사자) | 토마토 | 의자 | 바지 |

(2) 곤충에 x표시 하세요.

| 거미 | 바퀴 | 주사기 | 목걸이 |

(3) 악기에 별표하세요.

| 버스 | 바이올린 | 바지 | 밤 |

(4) 꽃에 동그라미 치세요.

| 장미 | 그네 | 연못 | 강아지 |

(5) 음식에 밑줄을 치세요.

| 트럭 | 깃발 | 감자 | 파티 |

(6) 가전제품에 동그라미 치세요.

| 책상 | 컵 | 세탁기 | 볼펜 |

📢 문장을 읽고 그대로 수행해보세요.

(13) 모양에 동그라미를 치세요.

| 네모 | 볼펜 | 노랑 | 시계 |

(14) 스포츠에 ∨ 표시를 하세요.

| 빨강 | 축구 | 그릇 | 저울 |

(15) 섬에 X 표시를 하세요.

| 마우스 | 생선 | 인형 | 독도 |

(16) 도형에 색칠하세요.

| 복숭아 | 햄버거 | 네모 | 액자 |

(17) 빨간색에 동그라미 하세요.

| 치즈 | 딸기 | 바나나 | 키위 |

(18) 홀수에 동그라미 치세요.

| 1 | 4 | 8 | 12 |

문장 이해

📢 문장을 읽고 그대로 수행해보세요.

(19) 직업에 동그라미를 하세요.

| (의사) | 칠판 | (선생님) | 숙제 |

(20) 곤충에 동그라미를 하세요.

| 개미 | 메뚜기 | 닭 | 농부 |

(21) 숫자에 동그라미를 치세요.

| 1 | ㄱ | ㅌ | ㅏ |

(22) 음식에 밑줄을 치세요.

| 의자 | 책상 | 햄버거 | 핸드폰 |

(23) 장소에 동그라미 하세요.

| 마트 | 쌀 | 인형 | 의자 |

(24) 보라색에 네모 표시하세요.

| 포도 | 도자기 | 바나나 | 오렌지 |

📢 문장을 읽고 그대로 수행해보세요.

(25) 학용품에 동그라미를 치세요.

| 에어컨 | 핸드폰 | 볼펜 | 가방 |

(26) 지역 이름에 동그라미 하세요.

| 제주도 | 턱 | 리모컨 | 치약 |

(27) 나라 이름에 세모 표시하세요.

| 카메라 | 카멜레온 | 캐나다 | 코끼리 |

(28) 교통수단에 동그라미를 치세요.

| 나무 | 시소 | 버스 | 떡 |

(29) 도형에 밑줄을 치세요.

| 세모 | 의자 | 지우개 | 원 |

(30) 꽃에 하트 표시하세요.

| 진달래 | 민들레 | 분홍색 | 리모컨 |

📢 문장을 듣고 '예/아니오'로만 대답해주세요.

(1)	당신은 여자인가요?	예	(아니오)
(2)	당신은 선생님인가요?	예	아니오
(3)	결혼하셨나요?	예	아니오
(4)	점심 식사 하셨나요?	예	아니오
(5)	오늘이 수요일인가요?	예	아니오
(6)	지금이 오전인가요?	예	아니오
(7)	지금 눈이 오나요?	예	아니오
(8)	양말을 신으셨나요?	예	아니오
(9)	아침 식사 하셨나요?	예	아니오

📢 문장을 듣고 '예/아니오'로만 대답해주세요.

(10) 오늘 날씨가 덥나요?   예   아니오

(11) 고향이 서울인가요?   예   아니오

(12) 국적은 대한민국 인가요?   예   아니오

(13) 지금이 가을인가요?   예   아니오

(14) 여기가 공원인가요?   예   아니오

(15) 지금이 10월인가요?   예   아니오

(16) 오늘이 15일인가요?   예   아니오

(17) 오늘 친구를 만나기로 했습니까?   예   아니오

(18) 현재 파랑색 옷을 입고 있나요?   예   아니오

문장 이해

📢 문장을 듣고 '예/아니오'로만 대답해주세요.

(19) 성함이 OOO인가요?   예   아니오
                                   _____ _____

(20) 어제는 5월 10일이었나요?   예   아니오
                                   _____ _____

(21) 버스를 타고 오셨나요?   예   아니오
                                   _____ _____

(22) 아파트에 사시나요?   예   아니오
                                   _____ _____

(23) 여기가 호주인가요?   예   아니오
                                   _____ _____

(24) 생일이 12월 30일인가요?   예   아니오
                                   _____ _____

(25) 사는 곳이 서울인가요?   예   아니오
                                   _____ _____

(26) 내일은 식목일인가요?   예   아니오
                                   _____ _____

(27) 여기는 미국 인가요?   예   아니오
                                   _____ _____

📢 문장을 듣고 '예/아니오'로만 대답해주세요.

(1) 1년은 12달인가요? (예) 아니오

(2) 아침에 노을을 볼 수 있나요? 예 아니오

(3) 9에 3을 더하면 12인가요? 예 아니오

(4) 1시간은 60분인가요? 예 아니오

(5) 자전거는 물속에서 타나요? 예 아니오

(6) 10은 짝수인가요? 예 아니오

(7) 부산은 충청도인가요? 예 아니오

(8) 딸기는 빨간색인가요? 예 아니오

(9) 겨울은 더운가요? 예 아니오

문장 이해

📢 문장을 듣고 '예/아니오'로만 대답해주세요.

(10) 화요일 다음 날이 목요일인가요?   예   아니오

(11) 강아지는 동물인가요?   예   아니오

(12) 가을에는 벚꽃이 피나요?   예   아니오

(13) 신발은 외출할 때 신나요?   예   아니오

(14) 눈은 겨울에 내리나요?   예   아니오

(15) 볼펜으로 글씨를 지우나요?   예   아니오

(16) 하루는 24시간인가요?   예   아니오

(17) 설날은 여름인가요?   예   아니오

(18) 지금은 2023년인가요?   예   아니오

📢 문장을 듣고 '예/아니오'로만 대답해주세요.

(19) 해바라기는 꽃인가요?　　　　　　　　　　예　　　아니오

(20) 발가락은 10개인가요?　　　　　　　　　　예　　　아니오

(21) 닭은 알을 낳나요?　　　　　　　　　　　예　　　아니오

(22) 밥 먹기 전에 양치를 하나요?　　　　　　예　　　아니오

(23) 깨끗한 옷을 빨래하나요?　　　　　　　　예　　　아니오

(24) 5000원은 1000원이 5장인가요?　　　　예　　　아니오

(25) 냉장고에 신발을 보관하나요?　　　　　　예　　　아니오

(26) 얼음은 딱딱한가요?　　　　　　　　　　예　　　아니오

(27) 반찬을 먹을 때 젓가락을 사용하나요?　예　　　아니오

문장 이해

📢 문장을 듣고 '예/아니오'로만 대답해주세요.

(28)	바닷물은 달콤한가요?	예	아니오
(29)	고양이는 날 수 있나요?	예	아니오
(30)	김밥을 마실 수 있나요?	예	아니오
(31)	소파는 푹신한가요?	예	아니오
(32)	신호등에 보라색이 있나요?	예	아니오
(33)	칫솔로 그림을 그리나요?	예	아니오
(34)	아프면 경찰서에 가나요?	예	아니오
(35)	얼음은 차가운가요?	예	아니오
(36)	마트에서 잠을 자나요?	예	아니오

📢   문장을 잘 읽고 설명하는 단어를 찾아주세요.

세수할 때 필요한 것은?   연필   돈   (수건)

추울 때 필요한 것은?   리모컨   부채   핫팩

글씨 쓸 때 필요한 것은?   연필   컴퓨터   액자

물 마실 때 필요한 것은?   문   컵   코

자동차에 필요한 것은?   옥수수   워셔액   리본

청소할 때 필요한 것은?   자동차   청소기   시계

풍선을 불 때 필요한 것은?   물   공기   우유

비 올 때 필요한 것은?   우산   이불   컵

옷을 걸 때 필요한 것은?   양말   옷걸이   종이

잘 때 덮는 것은?   이불   오징어   이천

📢 문장을 잘 읽고 설명하는 단어를 찾아주세요.

비행기 탈 때 필요한 것은?　　　여권　　휴지통　　풀

꽃을 키울 때 필요한 것은?　　　화분　　의자　　닭

요리할 때 필요한 것은?　　　냄비　　가방　　모자

수영할 때 필요한 것은?　　　튜브　　화분　　트리

학교 갈 때 필요한 것은?　　　가방　　아령　　김밥

아기를 키울 때 필요한 것은?　　　분유　　고양이　　꽃

어두울 때 사용하는 것은?　　　책　　손전등　　카드

얼굴을 볼 때 사용하는 것은?　　　종이　　거울　　거위

달리기할 때 필요한 것은?　　　운동화　　장화　　구두

물고기를 키울 때 필요한 것은?　　　어항　　강아지　　레몬

📢 문장을 잘 읽고 설명하는 단어를 찾아주세요.

영화를 보러 가는 곳은?　　　한의원　우체국　영화관

책을 빌리러 가는 곳은?　　　마트　도서관　서점

소포를 보내는 곳은?　　　백화점　우체국　경찰서

소가 사는 곳은?　　　한옥　외양간　거실

옷을 맡기러 가는 곳은?　　　미용실　세탁소　약국

감기 걸렸을 때 가는 곳은?　　　가구점　백화점　병원

커피 마시러 가는 곳은?　　　병원　카페　화장실

밥 먹으러 가는 곳은?　　　치과　식당　안과

비행기를 타러 가는 곳은?　　　호텔　공원　공항

머리를 염색할 때 가는 곳은?　　　시청　카페　미용실

문장 이해

📢 문장을 잘 읽고 설명하는 단어를 찾아주세요.

학생을 가르치는 사람은?　　　가수　　선생님　　감독

약을 만드는 사람은?　　　기자　　약사　　도사

동물들을 돌보는 직업은?　　　사육사　　군인　　선생님

농사를 짓는 사람은?　　　마부　　농부　　부자

노래를 부르는 사람은?　　　상인　　기자　　가수

음식을 만드는 사람은?　　　군인　　요리사　　의사

세금을 관리해주는 사람은?　　　세무사　　경찰　　변호사

도둑을 잡는 사람은?　　　경찰　　기자　　배우

노래를 작곡하는 사람은?　　　조종사　　작곡가　　요리사

그림을 그리는 사람은?　　　소방관　　가수　　화가

다음 단어 범주에서 해당하는 것을 모두 찾아 써보세요.
중복되는 단어나 사용되지 않는 단어도 있습니다.

천둥   시계알람   음악소리   차갑다   달콤하다
향기   눈부시다   따갑다   반짝인다   소음

<u>시각과 관련 있는 것</u>

눈부시다
따갑다
반짝인다

<u>후각과 관련 있는 것</u>

향기

<u>청각과 관련 있는 것</u>
천둥
시계알람
음악소리
소음

<u>촉각과 관련 있는 것</u>

차갑다
따갑다

반바지   장난감   페트병   신발   목도리
쇼핑백   가방   장바구니   신문지   양말   셔츠

<u>천으로 만들어진 것</u>

<u>가죽으로 만들어진 것</u>

<u>종이로 만들어진 것</u>

<u>플라스틱으로 만들어진 것</u>

문장 이해

다음 단어 범주에서 해당하는 것을 모두 찾아 써보세요.
중복되는 단어나 사용되지 않는 단어도 있습니다.

담배 향초 가스레인지 장작 텐트 의자
아이스박스 물안경 수영복 튜브 비치볼 풍선

불과 관련된 것	캠핑과 관련된 것
물놀이와 관련된 것	공기를 넣어서 사용하는 것

사과 지구 목성 토성 화성 수원
용인 서울 배 오렌지 딸기

동그랗게 생긴 것	지역 이름
먹을 수 있는 것	'ㅅ'이 들어가는 것

다음 단어 범주에서 해당하는 것을 모두 찾아 써보세요.
중복되는 단어나 사용되지 않는 단어도 있습니다.

청소기 물 자동차 우유 가위 주스 칼
냉장고 자전거 텔레비전 톱 콜라 유모차

<u>액체로 되어있는 것</u>   <u>바퀴가 달린 것</u>

<u>자를 때 사용하는 것</u>   <u>전기를 사용하는 것</u>

계란 장갑 책 운동화 장화 노트북
손잡이 각티슈 바퀴 양말 동전 수박

<u>손과 관련이 있는 것</u>   <u>발과 관련이 있는 것</u>

<u>원 모양과 관련이 있는 것</u>   <u>네모와 관련이 있는 것</u>

📢 다음 단어 범주에서 해당하는 것을 모두 찾아 써보세요.
중복되는 단어나 사용되지 않는 단어도 있습니다.

수건 여권 핸드폰 선크림 TV 립스틱
캐리어 안경닦이 승무원 네비게이션 로션 행주

화면을 사용하는 것   얼굴에 바르는 것
_____   _____

닦을 때 사용하는 것   공항과 관련된 것
_____   _____

병 창문 눈사람 해 구름 달 산
바다 바지 기차 자동차 비행기 사탕 젤리

유리로 된 것   하늘에 있는 것
_____   _____

바퀴가 달린 것   간식으로 먹는 것
_____   _____

다음 단어 범주에서 해당하는 것을 모두 찾아 써보세요.
중복되는 단어나 사용되지 않는 단어도 있습니다.

안경 폭우 가뭄 슬프다 행복하다
열쇠 처방전 박스 거울 눈물 캐리어

감정(기분)과 관련 있는 것   날씨와 관련 있는 것

눈(신체부위)과 관련 있는 것   종이로 만든 것

공 돈 색종이 뻥튀기 소방차
신문 김치냉장고 가위 두루미 팬티

동그란 물건   네모난 물건

무거운 것   접을 수 있는 것

📢　문장 속 빈 칸을 채워주세요.

(1) ___기린___ 은 목이 긴 동물이다.

(2) 마트에 가면 _____를 볼 수 있다.

(3) 아파서 _____에 갔다.

(4) 외출하려면 _____을 신는다.

(5) _____는 우리나라 꽃이다.

(6) 용돈을 _____에 저금했다.

(7) 손가락에 _____를 낀다.

(8) _____로 사진을 찍는다.

(9) 벽에 못을 _____로 박는다.

📢 문장 속 빈 칸을 채워주세요.

(10) 코로 _____를 맡는다.

(11) 비가 올 때 _____이 필요하다.

(12) 액자에 _____을 끼운다.

(13) 대중교통에는 _____이 있다.

(14) 꽃집에서 _____을 산다.

(15) _____는 엉덩이가 빨갛다.

(16) 오늘은 생일이라 _____를 먹었다.

(17) 세탁기는 _____을 빤다.

(18) 곡식은 _____에 수확한다.

문장 이해

📢 문장 속 빈 칸을 채워주세요.

(19) 콧물이 나오면 _____가 필요하다.

(20) 개나리는 _____색이다.

(21) 만원은 천원이 _____장 필요하다.

(22) 소금을 넣으면 _____

(23) 컵에 _____을 따른다.

(24) 밥을 먹을 때는 _____를 이용한다.

(25) 햇빛을 차단하기 위해 _____을 사용한다.

(26) 시내버스를 타려면 _____가 필요하다.

(27) 여행갈 때 _____을 타고 간다.

📢 문장 속 빈 칸을 채워주세요.

(28) _____는 시간을 확인 할 수 있다.

(29) 매미는 _____에 운다.

(30) 조미료는 _____에 넣는다.

(31) _____는 코가 긴 동물이다.

(32) _____로 글씨를 써요.

(33) _____로 종이를 붙인다.

(34) 아기에게 _____을 읽어줬다

(35) 시계가 고장 나서 _____에 맡겼다.

(36) _____는 봄에 피는 꽃이다.

📢 문장 속 빈 칸을 채워주세요.

(1) 발 냄새가 나서 <u>씻어야한다.</u>

(2) 바람이 많이 불어서 _____

(3) 밖이 시끄러워서 _____

(4) 밖에 비가 와서 _____

(5) 여름에 선풍기가 없어서 _____

(6) 겨울에 내복이 없어서 _____

(7) 화장실에 휴지가 없어서 _____

(8) 목이 말라서 _____

(9) 등이 간지러워서 _____

📢 문장 속 빈 칸을 채워주세요.

(10) 길을 가다 미끄러져서 _____

(11) 친구가 약속에 늦어서 _____

(12) 지갑을 안 가져와서 _____

(13) 어버이날이라서 _____

(14) 국이 짜서 _____

(15) 돈이 없어서 _____

(16) 배가 고파서 _____

(17) 동생과 싸워서 _____

(18) 꽃 선물을 받아서 _____

문장 이해

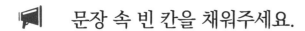 문장 속 빈 칸을 채워주세요.

(19) 밤을 새서 _____

(20) 썰매를 타서 _____

(21) 친구가 병문안을 오지 않아서 _____

(22) 달리다가 넘어져서 _____

(23) 버스를 놓쳐서 _____

(24) 돈을 주워서 _____

(25) 강아지가 아파서 _____

(26) 선생님에게 혼나서 _____

(27) 친구가 놀래켜서 _____

📢 문장 속 빈 칸을 채워주세요.

(28) 버스에 물건을 _____

(29) 시험 공부를 안해서 _____

(30) 졸업을 해서 _____

(31) 좋아하는 아이에게 _____

(32) 가방이 열려서 _____

(33) 사람들 앞에서 넘어져서 _____

(34) 상을 받아서 _____

(35) 이사를 해서 _____

(36) 오랜만에 친구를 만나서 _____

📢 문장을 끝까지 듣고 순서대로 행동해주세요.

(1) 발을 구르고 어깨를 만지고 머리 위로 동그라미를 만드세요.

(2) 이름을 말하고 만세를 하고 손을 흔드세요.

(3) 창문을 가리키고 손뼉을 친 후 눈을 감아주세요.

(4) 무릎을 가리키고 눈을 깜빡인 후 이마를 짚으세요.

(5) 전등을 보고 창문을 보고 문을 가리키세요.

(6) 박수를 두 번 치고, 어깨를 두드린 후, 만세를 합니다.

(7) 팔짱을 끼고 고개를 양옆으로 저은 뒤 한숨을 내쉬세요.

(8) 볼펜을 다리 위에 올린 후 손뼉을 쳐주세요.

(9) 휴지를 가리키고 주먹을 쥔 후 어깨를 두드리세요.

📢 문장을 끝까지 듣고 순서대로 행동해주세요.

(10) 귀를 만지고, 코끝을 만진 후, 박수를 두 번 칩니다.

(11) 머리를 만지고 바닥을 가리킨 후 손을 드세요.

(12) 양손을 깍지 끼고 앞으로 내민 후 다시 내리세요.

(13) 목을 한 바퀴 돌리고 '아' 소리 낸 후 눈을 감으세요.

(14) 왼손으로 무릎을 가리킨 다음 코를 만지고 내리세요.

(15) 손뼉을 치고 무릎을 친 후 자리에서 일어나세요.

(16) 연필로 글자를 적고 읽은 후 손뼉을 치세요.

(17) 눈을 깜빡이고, 미소를 지은 후, '괜찮아요'라고 말해주세요.

(18) 천장을 가리키고 눈을 감고 박수를 치세요.

문장 이해

📢 문장을 끝까지 듣고 순서대로 행동해주세요.

(19) 바닥을 가리키고 손목을 잡은 후 눈을 깜빡이세요.

(20) 책상을 치고 손뼉 친 후 어깨를 으쓱하세요.

(21) 어깨를 으쓱하고 머리카락을 넘기고 손을 무릎에 올리세요.

(22) 볼펜을 돌리고 책상을 친 후 책상에 내려놓으세요.

(23) 종이에 이름을 쓰고 반으로 접어 저에게 주세요.

(24) 눈을 감고 양손을 깍지끼고 '아' 소리를 내주세요

(25) 고개를 오른쪽으로 돌리고 눈을 깜박이고 손뼉을 쳐주세요.

(26) 오른손을 들고 눈을 감은 다음 왼손을 배 위에 올리세요.

(27) 양손을 양 볼에 대고 눈을 감은 다음 '아' 소리를 내주세요.

📢 문장을 잘 읽고 질문에 답하세요.

(1) 버스와 비행기 중에 어떤 것이 더 빠른가요? 비행기
_____

(2) 달과 태양 중에 어느 것이 더 밝은가요?
_____

(3) 개미와 강아지 중에 어느 것이 더 큰가요?
_____

(4) 물과 꿀 중에 어느 것이 더 끈적한가요?
_____

(5) 아이와 어른 중에 누가 더 힘이 센가요?
_____

(6) 여름과 겨울 중에서 어떤 계절이 더 추운가요?
_____

(7) 아파트와 주택 중에서 어떤 것이 더 높나요?
_____

(8) 버스와 기차 중에서 어떤 것이 더 긴가요?
_____

(9) 수박과 레몬 중에서 어떤 것이 더 신가요?
_____

문장 이해

📢 문장을 잘 읽고 질문에 답하세요.

(19) 초등학생과 고등학생 중 누가 나이가 많나요?

_____

(20) 유리와 플라스틱 중 어느 것이 잘 깨지나요?

_____

(21) 소고기와 돼지고기 중 어느 것이 더 비싼가요?

_____

(22) 보석과 돌멩이 중 어느 것이 더 반짝이나요?

_____

(23) 누룽지와 맥주 중 어느 것이 더 시원한가요?

_____

(24) 고추장과 된장 중 어떤 것이 더 매운가요?

_____

(25) 눈과 비 중 어떤 것이 더 차가운가요?

_____

(26) 쥐와 고양이 중 어떤 것이 더 큰가요?

_____

(27) 레몬과 사과 중 어떤 것이 더 신가요?

_____

📢 문장을 잘 읽고 질문에 답하세요.

(28) 초콜릿과 물 중 어느 것이 더 단가요?

_____

(29) 소금이랑 사탕 중에서 어떤 것이 더 짠가요?

_____

(30) 컵과 의자 중 어떤 것이 더 가벼운가요?

_____

(31) 셔츠와 점퍼 중에서 어떤 것이 더 따뜻한가요?

_____

(32) 뱀과 지렁이 중에서 어떤 것이 더 긴가요?

_____

(33) 텐트와 팬션 중에서 어떤 곳이 더 편안하나요?

_____

(34) 고추와 오이 중 어떤 것이 더 맵나요?

_____

(35) 물과 보약 중 어떤 것이 더 쓴맛이 나나요?

_____

(36) 고래와 새우 중에서 어떤 것이 더 큰가요?

 보기와 같은 뜻을 가진 속담을 찾아주세요.

(1) 자식 많은 사람은 걱정이 떠날 때가 없다.

 ① 새 발의 피
 ② 가지 많은 나무에 바람 잘 날 없다.
 ③ 식은 죽 먹기
 ④ 소 잃고 외양간 고친다.
 ⑤ 십 년이면 강산도 변한다.

(2) 철없이 함부로 덤빈다.

 ① 하룻강아지 범 무서운 줄 모른다.
 ② 바늘도둑이 소도둑 된다.
 ③ 윗물이 맑아야 아랫물이 맑다
 ④ 칼로 물베기
 ⑤ 이왕이면 다홍치마

(3) 자기를 위해 한 일이
  뜻밖에 남을 위한 일이 되어 버렸다.

 ① 백지장도 맞들면 낫다.
 ② 식은 죽 먹기.
 ③ 안에서 새는 바가지 밖에서도 샌다.
 ④ 물에도 체한다.
 ⑤ 잠결에 남의 다리 긁는다.

 보기와 같은 뜻을 가진 속담을 찾아주세요.

(4) 모든 일에는 이유가 있다.

① 개똥도 약에 쓰려면 없다.
② 선무당이 사람 잡는다.
③ 손이 뜨다.
④ 아니 땐 굴뚝에 연기나랴.
⑤ 입에 발린 소리

(5) 작은 것 하나 때문에 큰 것을 망치다.

① 종로에서 뺨 맞고 한강에 가서 운다.
② 하늘을 찌르다.
③ 빈대 잡으러 가다가 초가삼간 태운다.
④ 시치미를 떼다.
⑤ 목에 힘을 주다.

(6) 나쁜 짓을 한 사람이 그에 상응하는 벌을 받게 된다.

① 낮말은 새가 듣고, 밤말은 쥐가 듣는다.
② 호랑이도 제 말하면 온다.
③ 못된 송아지 엉덩이에 뿔난다.
④ 고양이 목에 방울 단다.
⑤ 개 같이 벌어서 정승같이 쓴다.

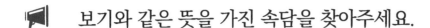 보기와 같은 뜻을 가진 속담을 찾아주세요.

(7) 아무리 말해도 잘 알아듣지 못한다.

① 갈수록 태산이다.
② 싼게 비지떡이다.
③ 식은 죽 먹기
④ 소 귀에 경읽기
⑤ 개밥에 도토리

(8) 멀리 보이는 것은 잘 보면서도
자기 가까이에 있는 것은 잘 못 본다.

① 가까운 이웃이 먼 친척보다 낫다.
② 가난한 놈은 성도 없나.
③ 등잔 밑이 어둡다.
④ 식은 죽 먹기
⑤ 윗물이 맑아야 아랫물도 맑다.

(9) 보기는 하여도 먹을 수도 없고
가질 수도 없어 소용없다.

① 까마귀 날자 배 떨어진다.
② 뛰는 놈 위에 나는 놈 있다.
③ 금강산도 식후경
④ 그림의 떡
⑤ 귀에 걸면 귀걸이 코에 걸면 코걸이

보기와 같은 뜻을 가진 속담을 찾아주세요.

(10) 남의 말을 귀담아듣지 않는다.

① 고양이한테 생선을 맡기다.
② 고래 싸움에 새우 등 터진다.
③ 가는 말이 고와야 오는 말이 곱다.
④ 한 귀로 듣고 한 귀로 흘린다.
⑤ 누워서 떡 먹기

(11) 약한 사람도 억울하거나 무시당하면 참지 않는다.

① 형만한 아우 없다.
② 지렁이도 밟으면 꿈틀한다.
③ 개구리 올챙이 적 생각 못한다.
④ 누워서 침뱉기
⑤ 병주고 약준다.

(12) 말을 조심해서 해야 한다.

① 윗물이 맑아야 아랫물이 맑다.
② 짚신도 제 짝이 있다.
③ 엎드려 절 받기
④ 보기 좋은 떡이 먹기도 좋다.
⑤ 낮말은 새가 듣고 밤말은 쥐가 듣는다.

 보기와 같은 뜻을 가진 속담을 찾아주세요.

---

(13) 겉만 번지르르하고 실속이 없다.

① 한 귀로 듣고 한 귀로 흘린다.

② 배보다 배꼽이 더 크다.

③ 식은 죽 먹기

④ 빛 좋은 개살구

⑤ 싼게 비지떡

---

(14) 악행을 계속 오래하면 결국엔 들킨다.

① 과일전 망신은 머루가 시킨다.

② 구더기 무서워서 장 못 담그랴.

③ 꼬리가 길면 밟힌다.

④ 그림의 떡

⑤ 까마귀 날자 배 떨어진다.

---

(15) 아무리 좋은 것이라도 쓸모 있게 만들어 놓아야 값어치가 있다.

① 고래 싸움에 등 터진다.

② 가는 말이 고와야 오는 말이 곱다.

③ 고양이 목에 방울 달기

④ 공 든 탑이 무너지랴.

⑤ 구슬이 서 말이라도 꿰어야 보배

보기와 같은 뜻을 가진 속담을 찾아주세요.

---

(16) 바로 눈앞에 두고도 알아보지 못한다.

① 낫 놓고 기역 자도 모른다.
② 남의 떡이 더 커보인다.
③ 남의 등창이 내 여드름만 못 하다.
④ 내 손에 장을 지진다.
⑤ 누워서 떡 먹기

---

(17) 어릴 때의 버릇은 좀처럼 고치기가 어렵다.

① 소 잃고 외양간 고친다.
② 소귀에 경 읽기
③ 손바닥도 마주쳐야 소리가 난다.
④ 수박 겉핥기
⑤ 세 살 버릇 여든까지 간다.

---

(18) 모든 일에는 시작이 중요하다.

① 열 손가락 깨물어 안 아픈 손가락 없다.
② 아는 길도 물어서 가라.
③ 우물도 한 우물을 파라.
④ 시작이 반이다.
⑤ 우물 안 개구리

보기에 제시된 속담의 뜻을 찾아주세요.

(1) 열 길 물속은 알아도 한 길 사람 속은 모른다.

① 힘에 겨운 일을 억지로 하면 도리어 해만 입는다.
② 평소에는 흔하던 것도 막상 긴하게 쓰려면 구하기 어렵다.
③ 사람의 속마음을 알기란 매우 어렵다.
④ 싸워도 결국 화해한다.
⑤ 쓸데없이 남의 일에 간섭한다.

(2) 개똥도 약에 쓰려면 없다.

① 우연히 갔다가 공교로운 일을 만나다.
② 평소에는 흔하던 것도 막상 쓰려면 구하기 어렵다.
③ 엄청나게 작은 분량의 물건이나 음식
④ 보잘것 없는 힘으로, 대들어 보아야 별수가 없다.
⑤ 쓸데없이 남의 일에 간섭한다.

(3) 천릿길도 한 걸음부터

① 견문이 좁은 사람을 빈정대어 이르는 말.
② 남에게 악하게 하면 그 죄는 반드시 받는다.
③ 죄는 죄대로, 공은 공대로 결과가 드러난다.
④ 항상 말을 조심해야한다.
⑤ 아무리 큰일이라도 작은 일부터 시작된다.

📢 보기에 제시된 속담의 뜻을 찾아주세요.

(4) 꿀 먹은 벙어리

① 작은 것을 훔친 사람은 나중에 더 큰 것을 훔친다.
② 말을 조심성 있게 하라.
③ 모든 일에는 시련을 겪어야 성공할 수 있다.
④ 마음속에 있는 말을 조금도 못 하는 사람.
⑤ 행동이 민첩하고 빠르다.

(5) 하룻강아지 범 무서운 줄 모른다.

① 철없이 함부로 덤빈다.
② 용감하다.
③ 눈치가 없다.
④ 힘에 세다.
⑤ 어린아이는 어른이 지켜 주어야 한다.

(6) 바늘 도둑이 소도둑 된다.

① 작은 잘못으로 시작해서 큰 잘못을 저지르게 된다.
② 작은 잘못은 용서해 주어야 한다.
③ 도둑질에도 종류가 있다.
④ 도둑질은 용서하면 안된다.
⑤ 작은 잘못에도 양심의 가책을 느낀다.

문장 이해

📢 보기에 제시된 속담의 뜻을 찾아주세요.

(7) 하늘을 봐야 별을 따지

① 내 사정이 급해서 남의 사정까지 돌볼 수가 없다.
② 한가지 일을 하고 두 가지 이익을 본다.
③ 쓸데없이 남의 일에 간섭한다.
④ 자기가 쓰려는 것이 없을 때, 그와 비슷한 것으로 대신 쓸 수도 있다.
⑤ 어떤 성과를 거두려면 그에 상당하는 노력과 준비가 있어야 한다.

(8) 원숭이도 나무에서 떨어진다.

① 쉬운 일이라도 협력하여 하면 훨씬 쉽다.
② 잘못을 저지른 쪽에서 오히려 남에게 성낸다.
③ 혈육은 다 귀하고 소중하다.
④ 아무리 익숙하고 잘하는 사람이라도 간혹 실수한다.
⑤ 사물의 속 내용은 모르고 겉만 건드린다.

(9) 피는 물보다 진하다.

① 여러 번 말로 듣는 것보다 실제로 보는 것이 낫다.
② 사람 마음은 쉽게 알 수 없다.
③ 가족끼리는 특별한 정이 있다.
④ 크게 될 사람은 어릴 때부터 남다르다.
⑤ 무엇에나 순서가 있으니 그 차례를 따라야 된다.

📢 보기에 제시된 속담의 뜻을 찾아주세요.

---

(10) 간이 콩알만 해지다.

① 겁이 나서 몹시 두려워진다.
② 자식 많은 사람은 걱정이 떠날 때가 없다.
③ 음식을 조금밖에 먹지 못하여 배가 차지 않는다.
④ 제 결점이 큰 줄 모르고 남의 작은 허물을 탓한다.
⑤ 나이 들어서 시작한 일에 몹시 골몰한 사람.

---

(11) 내 코가 석 자

① 내 사정이 급해서 남의 사정까지 돌볼 수가 없다.
② 남을 해치려다 도리어 자기 자신이 해를 입는다.
③ 글자라고는 아무것도 모르는 몹시 무식한 사람.
④ 쓸데없이 남의 일에 간섭한다.
⑤ 먹지 않고는 좋은 줄 모른다.

---

(12) 말 한마디에 천냥 빚도 갚는다.

① 강한 대결이 있을 때 존재들이 영향을 받는다.
② 말만 잘하면 어려운 일이나 불가능해 보이는 일도 해결할 수 있다
③ 헛된 일을 하려고 시도하는 것을 말한다.
④ 어떤 일을 끝까지 잘 마무리하지 않고 슬그머니 얼버무린다.
⑤ 고생을 많이 하면 좋은 결과가 있다.

문장 이해

📢 보기에 제시된 속담의 뜻을 찾아주세요.

---

(13) 떡 본 김에 제사 지낸다.

① 우연히 운 좋은 기회에 하려던 일을 해치우다.
② 남의 가난한 살림을 도와주는 것은 끝이 없다.
③ 쓸데없이 남의 일에 간섭한다.
④ 자기가 쓰려는 것이 없을 때, 그와 비슷한 것으로 대신 쓸 수도 있다는 말
⑤ 먹지 않고는 좋은 줄 모른다.

---

(14) 사공이 많으면 배가 산으로 올라간다.

① 지극히 적은 분량을 말함
② 간섭하는 사람이 많으면 진행 중인 일이 잘 안된다.
③ 쓸데없이 남의 험담을 한다.
④ 어떤 일을 하려 하였으면 망설이지 말고 곧 행동으로 옮겨라.
⑤ 아무리 익숙한 일이라도 남에게 물어보고 조심하라.

---

(15) 가지 많은 나무에 바람 잘 날 없다

① 내가 남에게 좋게 해야 남도 내게 잘한다.
② 자식 많은 사람은 걱정이 떠날 때가 없다.
③ 쓸데없이 남의 일에 간섭한다.
④ 겁이 나서 몹시 두려워진다.
⑤ 이왕이면 예쁘고 좋은 것을 선택한다.

보기에 제시된 속담의 뜻을 찾아주세요.

---

(16) 달면 삼키고 쓰면 뱉는다.

① 내 사정이 급해서 남의 사정까지 돌볼 수가 없다.
② 다 된 일을 망쳐 놓았다.
③ 본인게 이로우면 이용하고 필요하지 않을 때는 버린다.
④ 자기가 쓰려는 것이 없을 때, 그와 비슷한 것으로 대신 쓸 수도 있다.
⑤ 남을 해치려다 도리어 자기 자신이 해를 입는다.

---

(17) 다 된 죽에 코 풀기

① 아무리 잘 아는 일이라도 조심하여 실수 없게 하라.
② 죄지은 자가 폭로되는 것이 두려워 그것을 나타낸다.
③ 꼼꼼하게 살펴본다.
④ 다 된 일을 망쳐 놓았다.
⑤ 남을 조금 건드렸다가 도리어 일을 크게 당한다.

---

(18) 마른하늘에 날벼락

① 먹고 살기 위해서는 어떤 일이라도 하게 된다.
② 뜻 밖에 입는 재난을 이르는 말.
③ 말을 잘하면 큰 빚도 갚을 수 있다
④ 아무리 노력을 하고 애써도 보람이 나타나지 않는 경우에 쓰는 말.
⑤ 무슨 물건이든 값이 싸면 품질이 좋지 못하다.

문장 이해

보기에 제시된 속담의 뜻을 찾아주세요.

---

(19) 하나를 보면 열을 안다

① 몸집이 작은 사람이 큰 사람보다 재주가 뛰어나다.
② 일부만 보고도 전체를 알 수 있다.
③ 늘 말하던 것이 마침내 사실대로 되었다.
④ 남에게 좋은 말과 행동을 해야 나에게도 좋게 돌아온다.
⑤ 무슨 일이든 정성을 다하면 몹시 어려운 일도 순조롭게 풀리어 좋은 결과를 맺는다.

---

(20) 얌전한 고양이 부뚜막에 먼저 올라간다.

① 가까이 있는 사람이 도리어 잘 알기 어렵다.
② 윗사람이 잘하면 아랫사람도 따라서 잘한다.
③ 말을 조심해야 한다.
④ 상대편은 마음에 없는데 스스로 요구하여 대접받는다.
⑤ 겉으로는 얌전하고 아무것도 못할 것처럼 보이는 사람이 딴짓을 하거나 자기 실속을 다 차린다.

---

(21) 금강산도 식후경

① 아무리 즐거운 일도 배가 고프면 흥미가 생기지 않는다.
② 맛있는 음식보다 멋진 광경이 더 좋다.
③ 식탐이 많다.
④ 식욕이 왕성하다.
⑤ 음식 귀한 줄 모른다.

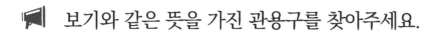 보기와 같은 뜻을 가진 관용구를 찾아주세요.

(1) 무언가를 끊임없이 반복하다.

① 바가지를 쓰다.
② 목구멍이 포도청
③ 미역국을 먹다.
④ 밥 먹듯 하다
⑤ 입에 발린 소리

(2) 결국 필요한 사람이 일을 하게 된다.

① 목마른 사람이 우물판다.
② 바가지를 긁다.
③ 누워서 침 뱉기
④ 배보다 배꼽이 크다.
⑤ 하늘을 찌르다.

(3) 지나치게 대담하다.

① 입에 거미줄 친다.
② 목에 힘을 주다.
③ 간이 부었다.
④ 간이 서늘하다.
⑤ 가방끈이 짧다.

문장 이해

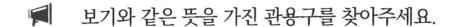 보기와 같은 뜻을 가진 관용구를 찾아주세요.

(4) 몹시 무안을 당하거나 기가 죽어 위신이 뚝 떨어지다.

① 코가 높다.
② 코 묻은 돈
③ 코가 납작해지다.
④ 입에 거미줄 치다.
⑤ 입이 무겁다.

(5) 요금이나 물건값을 제값보다 비싸게 지불하다.

① 바가지를 쓰다
② 바가지를 긁다.
③ 기가 막히다.
④ 시치미를 떼다.
⑤ 입에 발린 소리

(6) 정도 이상의 좋은 것만 찾는 취향이나 버릇이 있다.

① 입에 침이 마르다.
② 눈에 흙이 들어가다.
③ 귀가 따갑다.
④ 눈이 높다.
⑤ 입에 발린 소리

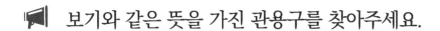 보기와 같은 뜻을 가진 관용구를 찾아주세요.

(7) 어떤 장소가 발을 디딜 수 없을 만큼 사람을 꽉 찬 상태에 있다.

① 손을 놓다.
② 심장이 강하다
③ 미역국을 먹다.
④ 손에 걸리다.
⑤ 발 디딜 틈도 없다.

(8) 아직 어른이 되려면 멀었다. 또는 나이가 어리다.

① 손이 크다.
② 머리에 피도 안 마르다
③ 깨가 쏟아진다.
④ 바가지를 긁다.
⑤ 간이 서늘하다.

(9) 말이 많고 비밀을 지키지 않는다.

① 발이 넓다.
② 눈을 붙이다.
③ 입에 풀칠하다.
④ 피도 눈물도 없다.
⑤ 입이 가볍다.

문장 이해

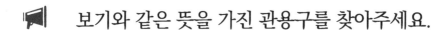 보기와 같은 뜻을 가진 관용구를 찾아주세요.

(10) 마음이 불안해서 일을 제대로 할 수가 없다.

① 눈에 거슬리다.
② 입에 침이 마르다.
③ 일이 손에 잡히지 않는다.
④ 찬밥 신세
⑤ 눈도 깜짝 안 한다.

(11) 주변에서 자꾸 칭찬을 한다.

① 비행기 태운다.
② 기차 태운다.
③ 기가 막히다.
④ 시치미를 떼다.
⑤ 식은 땀이 난다.

(12) 자기가 하고도 아닌 척한다.

① 시치미를 떼다.
② 김이 식다.
③ 얼굴이 두껍다.
④ 입만 아프다.
⑤ 손이 맵다.

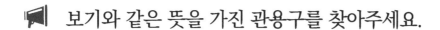 보기와 같은 뜻을 가진 관용구를 찾아주세요.

---

(13) 깜짝 놀라거나 양심의 가책을 받다.

① 가슴이 뜨끔하다.

② 가슴이 허전하다.

③ 가슴이 뜨겁다.

④ 가슴이 아프다.

⑤ 가슴이 차다.

---

(14) 글을 배울 때 이해가 더디다.

① 글귀가 어둡다.

② 글귀가 밝다.

③ 글귀가 푸르다.

④ 글귀가 먹먹하다.

⑤ 글귀가 조용하다.

---

(15) 적극적으로 행동을 시작한다.

① 발 벗고 나서다.

② 발을 배다.

③ 발이 길다.

④ 발이 내키지 않다.

⑤ 발이 떨어지지 않다.

문장 이해

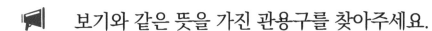 보기와 같은 뜻을 가진 관용구를 찾아주세요.

(16) 일자리를 잃고 가진 돈이 없이 망하다.

① 고개를 못 들다.
② 깡통을 차다.
③ 두 다리를 쭉 뻗다.
④ 첫걸음을 내딛는다.
⑤ 등에 식은땀이 나다.

(17) 일이 몹시 절박하게 닥치다.

① 발등에 불이 떨어지다.
② 그림의 떡
③ 파김치가 되다.
④ 국물도 없다.
⑤ 군침을 삼키다.

(18) 잘되어 가고 있는 일에 뛰어들어 분위기를 망치다.

① 찬물을 끼얹다.
② 파리 날리다.
③ 시치미를 떼다.
④ 쥐도 새도 모르게
⑤ 바가지를 씌우다.

보기와 같은 뜻을 가진 관용구를 찾아주세요.

(19) 사람이 불안하거나 초조한 느낌이 들다.

① 뿌리를 뽑다.

② 담을 쌓다.

③ 물불을 가리지 않는다.

④ 가시방석에 앉다.

⑤ 감투를 쓰다.

(20) 남이 잘되어 심술이 나다.

① 손이 크다.

② 손발이 맞다.

③ 배가 아프다.

④ 발이 손이 되도록 빌다.

⑤ 가슴이 뜨끔하다.

(21) 저지른 잘못이 들통이 나거나 그 때문에 나쁜 결과가 있지 않을까 마음을 졸이다.

① 오금이 저리다.

② 오금이 쑤시다.

③ 오금이 박히다.

④ 오금이 펴다.

⑤ 오금이 박다.

📢   보기에 제시된 관용구의 뜻을 찾아주세요.

(1)   바가지를 쓰다.

    ①   말속에 악의가 있다.

    ②   견디기 힘들다.

    ③   터무니 없이 비싼 가격에 피해를 당하다.

    ④   단단한 물건

    ⑤   여러 명 중에서 능력이나 재능이 특출난다.

(2)   가슴에 새기다.

    ①   말속에 악의가 있다.

    ②   가슴이 답답하다.

    ③   잊지 않게 단단히 기억하다.

    ④   단단한 물건

    ⑤   기억을 잊어버리다.

(3)   찬물을 끼얹는다.

    ①   먹고 싶어서 입맛을 다시다.

    ②   국물이 없다.

    ③   더워서 씻는다.

    ④   잘되는 일에 분위기를 망치다.

    ⑤   한가하다.

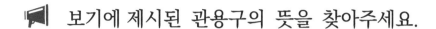 보기에 제시된 관용구의 뜻을 찾아주세요.

---

(4) 양심의 가책을 받는다.

① 많이 먹어서 배가 아프다.

② 손발이 척척 맞는다.

③ 뾰족한 것에 찔려 뜨끔하다.

④ 가슴이 뜨끔하다.

⑤ 불이 떨어졌다.

---

(5) 얼굴이 밝아졌다.

① 기분이 좋아졌다..

② 발걸음이 무거워졌다.

③ 어이가 없었다.

④ 귀담아듣지 않았다.

⑤ 펄쩍 뛰었다.

---

(6) 발이 넓다.

① 대인관계가 넓고 아는 사람이 많다.

② 소극적이다.

③ 발이 큰 편이다.

④ 게으르다.

⑤ 풍족하다.

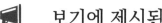 보기에 제시된 관용구의 뜻을 찾아주세요.

(7) 발을 빼다.

① 어떠한 상황으로부터 빠져나오다.
② 구멍이나 물에 담궜던 발을 꺼내다.
③ 부지런하다.
④ 처신이 올바르다.
⑤ 근면성실하다.

(8) 손이 맵다.

① 손이 작다.
② 손으로 아프게 때린다.
③ 씀씀이가 크다.
④ 긍정적이다.
⑤ 손에 무언가가 묻었다.

(9) 목이 빠지다.

① 목을 다치다.
② 누군가나 무언가를 매우 기다리다.
③ 누군가를 열정적으로 응원하다.
④ 매사에 게으르다.
⑤ 꼼꼼하지 못하고 덜렁댄다.

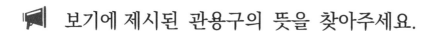 보기에 제시된 관용구의 뜻을 찾아주세요.

(10) 마음이 태평양 같다.

① 발이 넓다.

② 신발을 벗다.

③ 씀씀이가 후하고 크다.

④ 넓은 마음을 가졌다.

⑤ 어떤 일에 적극적으로 나서다.

(11) 보는 눈이 있다.

① 들은 말을 소문을 잘 낸다.

② 아끼고 절약하며 잘 안 쓴다.

③ 부끄러움을 모르고 염치가 없다.

④ 부끄러움을 모르고 염치가 없다.

⑤ 사람, 일 등을 평가하는 능력이 좋다.

(12) 피도 눈물도 없다.

① 절대 봐주지 않는다.

② 부끄러움을 모르다.

③ 재미나고 사이 좋게 지내다.

④ 싸워서 서로 아는 척도 하지 않는다.

⑤ 아슬아슬하여 매우 긴장되다.

문장 이해

 보기에 제시된 관용구의 뜻을 찾아주세요.

(13) 파김치가 되다.

① 매우 지치고 힘들다.
② 아무도 모르게 하다
③ 너무 많이 먹어서 배가 부르다.
④ 깜짝 놀랐다.
⑤ 같은 소리를 계속 반복해서 들어 힘들다.

(14) 일이 손에 잡히지 않는다.

① 마음에 들지 않는다.
② 여러 번 보아서 익숙하다.
③ 무서워도 절대 물러서지 않고 무서워하지 않는다.
④ 너무 무서운 상태
⑤ 마음이 불안해서 일을 제대로 할 수가 없다.

(15) 어깨를 짓누르다.

① 살림이 넉넉해지다.
② 큰 기쁨이나 감격으로 마음속이 꽉 차다.
③ 속는 줄도 모르고 남의 말을 그대로 잘 믿다.
④ 아양 따위로 상대방을 매혹하다.
⑤ 의무나 책임등이 중압감을 주다.

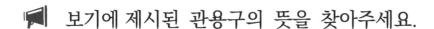 보기에 제시된 관용구의 뜻을 찾아주세요.

(16) 머리가 크다.

① 식견이 넓다.
② 한가지 몰입해서 자리잡고 있다.
③ 대담하다.
④ 서로 반했다.
⑤ 눈물이 흐른다.

(17) 발 벗고 나서다.

① 발이 넓다.
② 신발을 벗다.
③ 씀씀이가 후하고 크다.
④ 손이 크다.
⑤ 앞장서서 도우다, 앞장서서 일하다.

(18) 손에 땀을 쥐다.

① 살림이 넉넉해지다.
② 매우 긴장이 된 상태.
③ 의무나 책임등이 중압감을 주다.
④ 아무 이유없이 웃기만 하는 사람
⑤ 조금도 인정이 없다.

문장 이해

 보기에 제시된 관용구의 뜻을 찾아주세요.

(19) 입을 모으다.

① 어떤 일을 결정하기 위해 서로 마주 대하다.
② 여러 사람이 같은 의견을 말하다.
③ 어떤 일에 적극적으로 나서다.
④ 발이 길다.
⑤ 팔을 걷어붙이다.

(20) 물 쓰듯 하다.

① 발이 넓다.
② 신발을 벗다.
③ 씀씀이가 후하고 크다.
④ 손이 크다.
⑤ 아무 말이나 떠들어 대는 것

(21) 간이 서늘하다.

① 깜짝 놀랐다.
② 가난한 신세가 되다.
③ 사람을 하찮게 보다.
④ 도량이나 능력이 크다.
⑤ 어처구니없다.

보기에 제시된 관용구의 뜻을 찾아주세요.

(22) 귀가 얇다.

① 잘 속는 사람
② 세상 물정을 알게 되다.
③ 남의 말을 쉽게 받아들인다.
④ 말을 잘 이해하지 못한다.
⑤ 잘 듣기 위해 신경을 곤두세운다.

(23) 하늘을 찌르다.

① 발이 넓다.
② 모든 일에는 이유가 있다.
③ 기세가 등등하다.
④ 손이 크다.
⑤ 관심이 없다.

(24) 뾰족한 수

① 확실한 답안
② 매우 난감한 처지
③ 씀씀이가 후하고 크다.
④ 손이 크다.
⑤ 어처구니없다.

문장 표현

- ❖ 빈칸 채우기
- ❖ 문장 따라말하기
- ❖ 속담 완성하기
- ❖ 어절 순서맞추기
- ❖ 문장 만들기
- ❖ 합성어 짝 찾기
- ❖ 낱말 정의하기
- ❖ 이어지는 문장 완성하기 (1)
- ❖ 이어지는 문장 완성하기 (2)

- ❖ 공통점 설명하기
- ❖ 차이점 설명하기
- ❖ 문장 수정하기
- ❖ 문법 수정하기
- ❖ 상황 예측하기
- ❖ 문제 해결하기
- ❖ 단어의 관계 설명하기
- ❖ 상상하기

📢 문장을 읽고 빈칸에 들어갈 수 있는 단어를 최대한
다양하게 많이 말씀해보세요.

(1) _____에 가고 싶어요.
밑, 집, 도서관, 공원, 병원 등

(2) _____를(을) 타고 여행을 가요.

(3) 식당에 가서 _____를(을) 먹어요.

(4) 백화점에 가서 _____를(을) 사요.

(5) 가족과 함께 _____으로 가요.

(6) _____가 하늘을 날아요.

(7) 친구가 _____에 가자고 했어요.

(8) 엄마랑 _____하며 놀아요.

(9) _____를 만나고 싶어요.

📢 문장을 읽고 빈칸에 들어갈 수 있는 단어를 최대한 다양하게 많이 말씀해보세요.

(10) 물 속에는 _____가 살아요.

(11) _____에 숨어요.

(12) 병원에서 _____를(을) 해요.

(13) _____가 빵을 먹어요.

(14) _____가 고장났어요.

(15) _____을 입고 소풍을 가요.

(16) _____가 밥을 먹어요.

(17) _____가 청소를 해요.

(18) _____에서 공부를 해요.

📢 문장을 읽고 빈칸에 들어갈 수 있는 단어를 최대한 다양하게 많이 말씀해보세요.

(19) 공원에서 _____을 해요.

(20) 집에서 _____을 봐요.

(21) 컴퓨터로 _____을 해요.

(22) _____을 마셔요.

(23) 겨울에는 _____을 타고 놀아요.

(24) _____를 구워요.

(25) _____로 장난감을 만들어요.

(26) _____를 가지고 놀아요.

(27) _____는 무섭게 생겼어요.

📢 문장을 끝까지 듣고 똑같이 따라 말하세요.
어려운 경우 문장을 보면서 읽으세요.

(1) 운동장에서 친구들과 축구를 했다.

(2) 기차역에 도착하였다.

(3) 돛단배가 둥실둥실 떠간다.

(4) 나는 종이를 자르고 언니는 풀로 붙인다.

(5) 친구와 가위바위보를 해요.

(6) 알록달록 한 무지개

(7) 꼬마가 놓친 풍선이 하늘 위로 날아간다.

(8) 지각을 하면 택시를 탄다.

(9) 피곤한 날에는 일찍 잠든다.

📢 문장을 끝까지 듣고 똑같이 따라 말하세요.
어려운 경우 문장을 보면서 읽으세요.

(10) 개와 고양이는 앙숙이다.

(11) 여름에는 수박과 냉면을 먹는다.

(12) 내일은 내가 발표하는 날이야.

(13) 올겨울은 유독 추웠어.

(14) 운동회의 꽃은 계주라고 할 수 있지.

(15) 빨간불일 때는 멈춰야 한다.

(16) 공원에서 줄넘기를 했다.

(17) 가을 단풍이 알록달록 멋있다.

(18) 비행기가 하늘 높이 날아간다.

📢 문장을 끝까지 듣고 똑같이 따라 말하세요.
어려운 경우 문장을 보면서 읽으세요.

(19) 친구와 뮤지컬을 보러 가기로 했어요.

(20) 자전거를 타고 한강을 돌아다녀요.

(21) 종이가 물에 젖어 찢어졌어요.

(22) 삐약삐약 병아리 음메음메 송아지

(23) 1년은 12달로 되어있다.

(24) 한 주는 월화수목금토일 7일이다.

(25) 지난 주말에는 마라톤 대회에 나갔다.

(26) 학생이 학교에서 공부를 한다.

(27) 치타가 빨리 달린다.

📢 속담의 앞부분만 들려드릴게요. 뒷부분을 완성해 보세요.

(1)   등잔 밑이   ?   어둡다
_____

(2)   돌다리도   ?
_____

(3)   누워서   ?
_____

(4)   까마귀 날자   ?
_____

(5)   언 발에   ?
_____

(6)   병 주고   ?
_____

(7)   호랑이도   ?
_____

(8)   천릿길도   ?
_____

(9)   콩 심은데 콩 나고   ?
_____

📢 속담의 앞부분만 들려드릴게요. 뒷부분을 완성해 보세요.

(10) 믿는 도끼에 ?
_____

(11) 백지장도 ?
_____

(12) 참새가 방앗간을 ?
_____

(13) 말 한마디로 ?
_____

(14) 사공이 많으면 ?
_____

(15) 목 마른 놈이 ?
_____

(16) 가는 날이 ?
_____

(17) 가재는 ?
_____

(18) 갈수록 ?
_____

문장 표현

📢 속담의 앞부분만 들려드릴게요. 뒷부분을 완성해 보세요.

(19)   개천에서   ?
_____

(20)   방귀 뀐 놈이   ?
_____

(21)   낮말은 새가 듣고 ?
_____

(22)   작은 고추가   ?
_____

(23)   티끌모아   ?
_____

(24)   똥 묻은 개가   ?
_____

(25)   개똥도   ?
_____

(26)   지렁이도 밟으면   ?
_____

(27)   말 한마디에   ?
_____

📢 속담의 앞부분만 들려드릴게요. 뒷부분을 완성해 보세요.

(28) 번갯불에 ? _____

(29) 금강산도 ? _____

(30) 바늘 가는데 ? _____

(31) 남의 떡이 ? _____

(32) 꿈보다 ? _____

(33) 바늘도둑이 ? _____

(34) 다 된 밥에 ? _____

(35) 꿩 대신 ? _____

(36) 개 밥에 ? _____

순서가 뒤섞인 문장이 있습니다.
단어 순서를 맞춰 올바른 문장으로 말씀해 보세요.

(1) 책을/읽었다/도서관에서   도서관에서 책을 읽었다.
_____

(2) 아침밥을/먹었다/8시에
_____

(3) 만들었다/눈으로/
     눈사람을
_____

(4) 켰다/더워서/에어컨을
_____

(5) 주었다/꽃에/물을
_____

(6) 쫓아간다/고양이가/닭을
_____

(7) 아버지의/할머니는/
     어머니다
_____

(8) 벚꽃이/봄에는/
     흐드러진다
_____

(9) 옥수수를/먹었다/삶아
_____

순서가 뒤섞인 문장이 있습니다.
단어 순서를 맞춰 올바른 문장으로 말씀해 보세요.

(10) 하늘을/비행기가/
날아간다   _____

(11) 닦는다/이를/자기 전에

_____

(12) 떴다/하늘에/달이

_____

(13) 산책하기/날씨이다/좋은

_____

(14) 친구를/어제/만났다.

_____

(15) 씻는다/손을/비누로

_____

(16) 노래방에서/했다/노래를

_____

(17) 자른다/가위로/종이를

_____

(18) 논에서/수확한다/벼를

_____

문장 표현

순서가 뒤섞인 문장이 있습니다.
단어 순서를 맞춰 올바른 문장으로 말씀해 보세요.

(19) 카드로/마트에서/
결제했다

_____

(20) 여덟 시가/되었다/벌써

_____

(21) 시켰다/카페에서/커피를

_____

(22) 최고다/여름에는/수박이

_____

(23) 구워/삼겹살을/먹었다.

_____

(24) 한다/오래/게임을

_____

(25) 다이어트/내일부터/
해야지

_____

(26) 귀엽다/강아지가/너무

_____

(27) 고양이가/폈다/기지개를

_____

순서가 뒤섞인 문장이 있습니다.
단어 순서를 맞춰 올바른 문장으로 말씀해 보세요.

(28)   아기는/잔다/잠을

_____

(29)   누웠다/켜고/선풍기를

_____

(30)   아침에/끓였다/
       된장찌개를

_____

(31)   놀이터에서/미끄럼틀을/
       타요

_____

(32)   휴지통에/휴지를/버려요

_____

(33)   볶아서/김치를/먹었다

_____

(34)   예쁘다/최고/내가

_____

(35)   훨훨/날아간다/나비가

_____

(36)   화장실에서/양치를/해요

_____

아래에 제시된 단어를 모두 넣어서 한 문장으로 만들어 보세요.

(1) 상추,삼겹살,숯불

숯불에 삼겹살을 구워서
상추에 싸먹었다.

(2) 행복,가족,여행

(3) 공원,친구들,축구

(4) 사과,학교,친구

(5) 책,커피,취미

(6) 밭,채소,농부

(7) 가을,논,허수아비

(8) 무대,관객,공연

(9) 꽃,노란색,향기

아래에 제시된 단어를 모두 넣어서 한 문장으로 만들어 보세요.

(10) 여름,선풍기,얼음

_____

(11) 아빠,자동차,운전

_____

(12) 엄마,냄비,부엌

_____

(13) 고양이,생선,시장

_____

(14) 이사,이웃,정리

_____

(15) 교복,학교,선생님

_____

(16) 우유,딸기,편의점

_____

(17) 올림픽,여름,올해

_____

(18) 액자,벽,망치

_____

문장 표현

아래에 제시된 단어를 모두 넣어서 한 문장으로
만들어 보세요.

(19)   약국,감기,병원

_____

(20) 고무장갑,수세미,세제

_____

(21)   스케치북,붓,물감

_____

(22)   케이크,초,불

_____

(23)   학교,발표,수업시간

_____

(24)   파라솔,여름,바다

_____

(25)   도서관,책,공부

_____

(26)   파마,미용실,용돈

_____

(27)   옷,옷장,옷걸이

_____

두 단어를 짝지어 합쳐서 하나의 어휘를 완성해 주세요.

사과 ●	● 수건
눈 ●	● 물
손 ●	● 거품
물 ●	● 바람
강 ●	● 나무
오목 ●	● 거울

국 ●	● 송이
느티 ●	● 방울
꽃 ●	● 나무
물 ●	● 다리
구름 ●	● 물
돼지 ●	● 고기

📢 두 단어를 짝지어 합쳐서 하나의 어휘를 완성해 주세요.

먹 ●		● 구름
소 ●		● 고기
손 ●		● 발
돼지 ●		● 비
오리 ●		● 고기
부슬 ●		● 수건

물 ●		● 더위
은행 ●		● 동무
늦 ●		● 밥
어깨 ●		● 병
척척 ●		● 나무
덮 ●		● 박사

📢 두 단어를 짝지어 합쳐서 하나의 어휘를 완성해 주세요.

눈 ●	● 고개
늦 ●	● 더위
보리 ●	● 싸움
군 ●	● 밤
바다 ●	● 장아찌
매실 ●	● 사자

첫 ●	● 용품
빨간 ●	● 도로
손 ●	● 관
고속 ●	● 사랑
주방 ●	● 색
미술 ●	● 바닥

📢 두 단어를 짝지어 합쳐서 하나의 어휘를 완성해 주세요.

물 ●	● 찌개
김치 ●	● 종이
색 ●	● 살
김 ●	● 티슈
생 ●	● 고기
굳은 ●	● 밥

밤 ●	● 사과
맏 ●	● 아들
풋 ●	● 꾼
헛 ●	● 난리
물 ●	● 나무
낚시 ●	● 웃음

📢 낱말을 들려드리겠습니다. 사전을 찾으면 나오는 설명처
럼 단어를 명확하게 정의해 주세요.

(1) 숟가락   밥이나 국 떠먹을 때 쓴다.
막대 밑이 둥글게 생긴 모양이다.

(2) 모자

_____

(3) 의자

_____

(4) 달력

_____

(5) 인형

_____

(6) 이불

_____

(7) 화장대

_____

(8) 정자

_____

(9) 쥐덫

_____

문장 표현

낱말을 들려드리겠습니다. 사전을 찾으면 나오는 설명처럼 단어를 명확하게 정의해 주세요.

(10) **옷장**

_____

(11) **전화기**

_____

(12) **거울**

_____

(13) **사랑**

_____

(14) **컴퓨터**

_____

(15) **가방**

_____

(16) **체중계**

_____

(17) **옷걸이**

_____

(18) **주유소**

_____

📢 낱말을 들려드리겠습니다. 사전을 찾으면 나오는 설명처럼 단어를 명확하게 정의해 주세요.

(19) **장화**

_____

(20) **사과**

_____

(21) **카메라**

_____

(22) **빨대**

_____

(23) **향수**

_____

(24) **아파트**

_____

(25) **친구**

_____

(26) **주택**

_____

(27) **학교**

_____

📢 간단한 문장을 들려드리겠습니다. 접속사까지 듣고
접속사에 어울리는 문장을 자유롭게 말씀해주세요.

(1) 일이 너무 바빴어요.
그래서

오늘은 쉬어야 합니다.
_____

(2) 몸이 좋지 않아요.
그래서

_____

(3) 오후에 비가 올 것
같아요. 그래서

_____

(4) 옷에 얼룩이 생겼어요.
그래서

_____

(5) 약속 날 늦잠을 잤어요.
그래서

_____

(6) 옷의 단추가 떨어졌어요.
그래서

_____

(7) 감기에 걸렸습니다.
그래서

_____

(8) 학교가 방학을 했습니다.
그래서

_____

(9) 점심 먹을 시간이
되었습니다. 그래서

_____

간단한 문장을 들려드리겠습니다. 접속사까지 듣고
접속사에 어울리는 문장을 자유롭게 말씀해주세요.

(10) 버스가 그냥
지나갔습니다. 그래서 _____

(11) 엄마와 한 약속을
어겼습니다. 그래서 _____

(12) 오늘은 너무 더웠습니다.
그래서 _____

(13) 친구와 장난을 치다가
모르고 때렸습니다.
그래서 _____

(14) 돋보기를 안 가져
왔어요. 그래서 _____

(15) 탕수육을
배달시켰습니다. 그래서 _____

(16) 잠을 설쳐서 너무
피곤해요. 그래서 _____

(17) 허리를 삐끗했습니다.
그래서 _____

(18) 다음 주에 제주도에
갑니다. 그래서 _____

간단한 문장을 들려드리겠습니다. 접속사까지 듣고
접속사에 어울리는 문장을 자유롭게 말씀해주세요.

(28)   빵과 커피를 많이
       먹었습니다. 그래서   _____

(29)   목이 너무 말랐습니다.
       그래서   _____

(30)   집에 도둑이 들었습니다.
       그래서   _____

(31)   친구와 다퉜습니다.
       그래서   _____

(32)   궁금한 것이 생겼습니다.
       그래서   _____

(33)   오늘은 친구의
       생일입니다. 그래서   _____

(34)   고구마만 먹었더니 목이
       멥니다. 그래서   _____

(35)   집에 손님이 오십니다.
       그래서   _____

(36)   텔레비전이
       고장났습니다. 그래서   _____

간단한 문장을 들려드리겠습니다. 접속사까지 듣고
접속사에 어울리는 문장을 자유롭게 말씀해주세요.

(1) 텔레비전이
고장났습니다. 그런데   부품이 단종돼서 고칠 수가
없습니다.

(2) 비가 내립니다. 그런데

_____

(3) 택배가 도착했습니다.
그런데

_____

(4) 늦잠을 자서 지각을
했습니다. 그런데

_____

(5) 세차를 했습니다. 그런데

_____

(6) 선생님께 거짓말을
했습니다. 그런데

_____

(7) 등교 시간에 늦었습니다.
그런데

_____

(8) 빨래를 널고 잤습니다.
그런데

_____

(9) 새가 우리 집에 둥지를
틀었습니다. 그런데

_____

문장 표현

간단한 문장을 들려드리겠습니다. 접속사까지 듣고 접속사에 어울리는 문장을 자유롭게 말씀해주세요.

(10)　파마하러 미용실에 갔습니다. 그런데

_____

(11)　새 의자를 샀습니다. 그런데

_____

(12)　냉면을 먹었습니다. 그런데

_____

(13)　과자를 사러 편의점에 갔습니다. 그런데

_____

(14)　핸드폰을 충전했습니다. 그런데

_____

(15)　머리를 묶었습니다. 그런데

_____

(16) 티비를 켰습니다. 그런데

_____

(17)　집에 불이 났습니다. 그런데

_____

(18)　운동을 열심히 했어요. 그런데

_____

📢 간단한 문장을 들려드리겠습니다. 접속사까지 듣고
접속사에 어울리는 문장을 자유롭게 말씀해주세요.

(19) 열심히 공부했어요.
그런데 _____

(20) 허리를 삐끗했습니다.
그런데 _____

(21) 약속 시간에 늦었습니다.
그런데 _____

(22) 막내딸과 쇼핑을
갔습니다. 그런데 _____

(23) 돋보기를 안 가져
왔어요. 그런데 _____

(24) 놀이기구를 탔습니다.
그런데 _____

(25) 바깥 날씨가 너무
추워요. 그런데 _____

(26) 회사에 지각했습니다.
그런데 _____

(27) 체육 시간에 운동장에
나갔습니다. 그런데 _____

문장 표현

간단한 문장을 들려드리겠습니다. 접속사까지 듣고 접속사에 어울리는 문장을 자유롭게 말씀해주세요.

(28) 고양이가 너무 귀여워요.
그런데
_____

(29) 내 여동생은
말썽꾸러기입니다.
그런데
_____

(30) 연을 날렸어요. 그런데
_____

(31) 오이를 잘랐어요. 그런데
_____

(32) 호랑이를 봤어요. 그런데
_____

(33) 야구공을 던졌어요.
그런데
_____

(34) 학교에 가고 있었습니다.
그런데
_____

(35) 커피가 매우 맛있습니다.
그런데
_____

(36) 집이 참 좋아요. 그런데
_____

📢 두 단어의 공통점을 말씀해주세요.

(1) 모자와 장갑의 공통점은? 날씨가 추울 때 쓴다.

_____

(2) 물안경과 수영복의 공통점은?

_____

(3) 시장과 백화점의 공통점은?

_____

(4) 축구와 족구의 공통점은?

_____

(5) 호떡과 붕어빵의 공통점은?

_____

(6) 딸기와 토마토의 공통점은?

_____

(7) 엄마와 여동생의 공통점은?

_____

(8) 강아지와 고양이의 공통점은?

_____

(9) 초콜렛과 사탕의 공통점은?

_____

문장 표현

📢 두 단어의 공통점을 말씀해 주세요.

(10) 빗자루와 물걸레의 공통점은?

_____

(11) 버스와 지하철의 공통점은?

_____

(12) 장바구니와 비닐봉투의 공통점은?

_____

(13) 강과 바다의 공통점은?

_____

(14) 학교와 학원의 공통점은?

_____

(15) 선풍기와 에어컨의 공통점은?

_____

(16) 소파와 침대의 공통점은?

_____

(17) 바이올린과 피아노의 공통점은?

_____

(18) 사과와 바나나의 공통점은?

_____

📢 두 단어의 공통점을 말씀해 주세요.

(19) 우산과 장화의 공통점은?

_____

(20) 목도리와 목걸이의 공통점은?

_____

(21) 물과 우유의 공통점은?

_____

(22) 볼펜과 연필의 공통점은?

_____

(23) 썰매와 스키의 공통점은?

_____

(24) 13과 23의 공통점은?

_____

(25) 나비와 벌의 공통점은?

_____

(26) 휠체어와 유모차의 공통점은?

_____

(27) 칼과 가위의 공통점은?

_____

📢 두 단어의 차이점을 말씀해주세요.

(1) 집고양이와 길고양이의 차이점은?　　　사는 곳이 다르다.
_____

(2) 입과 코의 차이점은?
_____

(3) 바나나와 귤의 차이점은?
_____

(4) 남자와 여자의 차이점은?
_____

(5) 안경과 선글라스의 차이점은?
_____

(6) 우유와 두유의 차이점은?
_____

(7) 자동차와 비행기의 차이점은?
_____

(8) 여름과 겨울의 차이점은?
_____

(9) 주택과 아파트의 차이점은?
_____

📢 두 단어의 차이점을 말씀해주세요.

(10) 핸드폰과 전화기의 차이점은?

_____

(11) 이불과 담요의 차이점은?

_____

(12) 아이스크림과 얼음의 차이점은?

_____

(13) 선풍기와 부채의 차이점은?

_____

(14) 피아노와 키보드의 차이점은?

_____

(15) 노트북과 컴퓨터의 차이점은?

_____

(16) 하품과 한숨의 차이점은?

_____

(17) 커피와 녹차의 차이점은?

_____

(18) 전화와 문자의 차이점은?

_____

📢 두 단어의 차이점을 말씀해 주세요.

(19) 칫솔과 치실의 차이점은?

_____

(20) 콜라와 사이다의 차이점은?

_____

(21) 호박과 수박의 차이점은?

_____

(22) 프라이팬과 냄비의 차이점은?

_____

(23) 얼음과 물의 차이점은?

_____

(24) 소금과 설탕의 차이점은?

_____

(25) 걸레와 행주의 차이점은?

_____

(26) 안경과 콘택트렌즈의 차이점은?

_____

(27) 숟가락과 젓가락의 차이점은?

_____

📢 다음은 내용이 이상한 문장입니다. 문장을 그대로
읽은 후 올바른 내용의 문장으로 고쳐서 말씀해주세요.

(1)　　분홍색 바나나가 맛있다.

→　　　노란색 바나나가 맛있다.

(2)　　여름엔 하얀 눈이 내린다.

→

(3)　　물을 쏟아서 옷소매가 다 말랐다.

→

(4)　　시험을 못 봐서 엉엉 웃었다.

→

(5)　　손에 양말을 신었다.

→

문장 표현

다음은 내용이 이상한 문장입니다. 문장을 그대로
읽은 후 올바른 내용의 문장으로 고쳐서 말씀해주세요.

(6) 배가 불러서 밥을 잔뜩 먹었다.

→ _____

(7) 너는 심보가 좋다.

→ _____

(8) 비가 내려서 우산을 접었다.

→ _____

(9) 횡단보도에서는 빨간불에 길을 건너야한다.

→ _____

(10) 강아지는 바다에 산다.

→ _____

📣 다음은 내용이 이상한 문장입니다. 문장을 그대로
읽은 후 올바른 내용의 문장으로 고쳐서 말씀해주세요.

(11)   딸기는 딱딱한 과일이다.

→
_____

(12)   고양이가 너무 예뻐서 화가났다.

→
_____

(13)   추워서 외투를 벗었다.

→
_____

(14)   목이 말라서 세수를 했다.

→
_____

(15)   친구들과 노는 것은 슬프다.

→
_____

문장 표현

다음은 내용이 이상한 문장입니다. 문장을 그대로
읽은 후 올바른 내용의 문장으로 고쳐서 말씀해주세요.

(16) 냉장고로 세탁을 한다.

→ _____

(17) 수영을 하려고 영화관에 갔다.

→ _____

(18) 가방에 물건을 잔뜩 넣어서 매우 가볍다.

→ _____

(19) 지우개로 낙서를 그렸다.

→ _____

(20) 외출하려고 발에 장갑을 끼었다.

→ _____

📢 다음은 내용이 이상한 문장입니다. 문장을 그대로
읽은 후 올바른 내용의 문장으로 고쳐서 말씀해주세요.

(21) 다람쥐는 돌멩이를 먹는다.

→ _____

(22) 비행기를 타고 바다를 건넌다.

→ _____

(23) 냉동실에서 꺼낸 얼음은 뜨겁다.

→ _____

(24) 호랑이는 토끼보다 힘이 약하다.

→ _____

(25) 강아지는 야옹 하고 짖는다.

→ _____

문장의 문법이 잘못된 부분을 올바르게 고쳐주세요.

(1)   내일 밤에 피자 먹었어?

→   오늘 밤에 피자 먹었어?

(2)   아빠가 집은 오셨다.

→

(3)   나는 사과가 먹었다.

→

(4)   멋질 나비가 날아간다.

→

(5)   아침에 나는 병원에서 간다.

→

📢 문장의 문법이 잘못된 부분을 올바르게 고쳐주세요.

(6) 쥐가 고양이한테 잡아요.

→ _____

(7) 이따가 만들 음식은 맛있었다.

→ _____

(8) 나는 내일 물건을 샀었다.

→ _____

(9) 나는 방금전에 점심 식사를 한다.

→ _____

(10) 나는 내일 공원을 산책했었다.

→ _____

문장 표현

문장의 문법이 잘못된 부분을 올바르게 고쳐주세요.

(11)   오늘 현장학습으로 에버랜드이 간다.

→ _____

(12)   나는 어제 택배를 부친다.

→ _____

(13)   내일부터 버스에 탈 때 마스크를 쓰다.

→ _____

(14)   멜로망스 노래가 들었다.

→ _____

(15)   아이패드를 떨어트려서 깨지지 않았다.

→ _____

실어증 회복 챌린지

📢 문장의 문법이 잘못된 부분을 올바르게 고쳐주세요.

(16)   어제 동생의 생일 선물로 컴퓨터를 사준다.

→ _____

(17)   우리는 내일 벚꽃을 보고 왔다.

→ _____

(18)   여름는 먹는 수박이 제일 맛있다.

→ _____

(19)   강아지랑 고기를 좋아한다.

→ _____

(20)   선생님이가 칭찬해 주셨다.

→ _____

문장 표현

📢 문장의 문법이 잘못된 부분을 올바르게 고쳐주세요.

(21) 여보 저기하고 옷을 꺼내주세요.

→ _____

(22) 엄마가 계란이 삶아 주셨다.

→ _____

(23) 문가 열고 택배를 받았다.

→ _____

(24) 자동차에게 타고 집에 왔다.

→ _____

(25) 시험기간이랑 공부를 했다.

→ _____

문장의 문법이 잘못된 부분을 올바르게 고쳐주세요.

(26) 나가 아파서 약을 먹었다.

→ _____

(27) 고양이는 털실를 좋아했다.

→ _____

(28) 영희는 철수에게 줄 생일 선물이 사러갔다.

→ _____

(29) 3일 뒤에는 야구 시합이 있었다.

→ _____

(30) 목이 말라서 음료수에게 마셨다.

→ _____

📢 상황을 듣고 어떤 일이 벌어질지 상상하여 이야기해보세요. 어떤 일이 벌어질까요?

(1) 현관문을 열어놓고 외출했습니다.

→ 도둑이 들어서 물건을 훔쳐간다.

(2) 바닷가에서 새우깡을 먹는데 갈매기가 옵니다.

→

(3) 좋아하는 가수의 콘서트 티켓이 생겼습니다.

→

(4) 젖은 손으로 콘센트를 만집니다.

→

(5) 가스레인지 위에서 물이 끓고 있는데 외출을 했습니다.

→

📢 상황을 듣고 어떤 일이 벌어질지 상상하여
이야기해보세요. 어떤 일이 벌어질까요?

(6) 여자가 나무 아래에서 사진을 찍습니다.

→ _____

(7) 횡단보도를 건너는데 빨간불로 바뀌었습니다.

→ _____

(8) 동생 몰래 음료수를 마셨습니다.

→ _____

(9) 비가 오는데 우산이 없습니다.

→ _____

(10) 친구 생일인데 선물을 두고 왔습니다.

→ _____

문장 표현

상황을 듣고 어떤 일이 벌어질지 상상하여
이야기해보세요. 어떤 일이 벌어질까요?

(11)   자동차에 기름이 없습니다.

→
_____

(12)   눈이 쌓인 곳에 물을 뿌렸습니다.

→
_____

(13)   앞을 못 보고 가다가 앞에 오는 사람과
        부딪혔습니다.

→
_____

(14)   차가 막혀서 회사에 지각했습니다.

→
_____

(15)   칼로 과일을 깎다가 손이 베였습니다.

→
_____

상황을 듣고 어떤 일이 벌어질지 상상하여
이야기해보세요. 어떤 일이 벌어질까요?

(16)   비 오는 날 창문을 열어놓고 나왔어요.

→ _____

(17)   내일이 시험인데 공부를 못 했어요.

→ _____

(18)   화장실에서 미끄러졌어요.

→ _____

(19)   지갑을 잃어버렸어요.

→ _____

(20)   믹서기에 과일을 넣고 돌렸습니다.

→ _____

문장 표현

상황을 듣고 어떤 일이 벌어질지 상상하여
이야기해보세요. 어떤 일이 벌어질까요?

(21)   아기가 혼자 높은 곳에 올라가 있습니다.

→ _____

(22)   오랜만에 근사한 레스토랑에서 외식을 합니다.

→ _____

(23)   핸드폰을 잃어버렸습니다.

→ _____

(24)   바다에 갔는데 수영복을 안가져왔습니다.

→ _____

(25)   동생이 넘어져서 웁니다.

→ _____

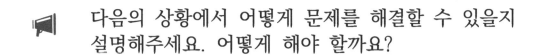 다음의 상황에서 어떻게 문제를 해결할 수 있을지 설명해주세요. 어떻게 해야 할까요?

(1)   살이 너무 쪄서 바지가 맞지 않아요.

→   다이어트를 해야합니다.
_____

(2)   샴푸를 다 써서 나오질 않아요.

→
_____

(3)   할머니께서 양손에 무거운 짐을 들고 있어요.

→
_____

(4)   어린아이가 길에서 울고 있어요.

→
_____

(5)   금붕어를 키우는 어항에 금이 갔어요.

→
_____

문장 표현

다음의 상황에서 어떻게 문제를 해결할 수 있을지 설명해주세요. 어떻게 해야 할까요?

(6) 기차를 탔는데 내 자리에 누가 앉아있어요.

→ _____

(7) 설거지를 했는데 그릇에 기름이 미끌거려요.

→ _____

(8) 유리잔이 깨져 바닥에 파편이 흩어졌습니다.

→ _____

(9) 길을 가다가 쓰러진 사람을 발견했습니다.

→ _____

(10) 핸드폰의 전원이 꺼졌습니다.

→ _____

📢 다음의 상황에서 어떻게 문제를 해결할 수 있을지
설명해주세요. 어떻게 해야 할까요?

(11) 친구가 내가 한 이야기를 오해했어요.

→ _____

(12) 불이 난 것을 보았어요.

→ _____

(13) 식당에서 밥을 먹는데 머리카락이 나왔어요.

→ _____

(14) 공공화장실에서 휴지가 없어요.

→ _____

(15) 외출하려는데 비가 예보되어 있습니다.

→ _____

문장 표현

다음의 상황에서 어떻게 문제를 해결할 수 있을지 설명해주세요. 어떻게 해야 할까요?

(16) 오늘은 친구 생일입니다.

→ _____

(17) 식당에서 음식값을 잘못 계산하고 나왔습니다.

→ _____

(18) 뜨거운 물에 손을 데었습니다.

→ _____

(19) 택배가 잘못 배달왔습니다.

→ _____

(20) 날씨가 추워서 손이 너무 시려요.

→ _____

다음의 상황에서 어떻게 문제를 해결할 수 있을지 설명해주세요. 어떻게 해야 할까요?

(21)   치약을 다 써서 나오질 않습니다.

→ _____

(22)   약속시간에 늦었습니다.

→ _____

(23)   고속도로에서 자동차가 고장이 났어요.

→ _____

(24)   의자가 부러졌어요.

→ _____

(25)   양말에 구멍이 났어요.

→ _____

다음의 두 단어가 왜 관련되어 있는지 설명해 보세요.

(1)   비와 우산은 관련이 있습니다.

→   비가 오는 날 우산을 씁니다.
_____

(2)   콧물과 기침은 관련이 있습니다.

→
_____

(3)   생선과 어묵은 관련이 있습니다.

→
_____

(4)   고구마와 감자는 관련이 있습니다.

→
_____

(5)   물과 얼음은 관련이 있습니다.

→
_____

📢 다음의 두 단어가 왜 관련되어 있는지 설명해 보세요.

(6)   숟가락과 젓가락은 관련이 있습니다.

→ _____

(7)   벌과 꿀은 관련이 있습니다.

→ _____

(8)   해와 달은 관련이 있습니다.

→ _____

(9)   칼과 도마는 관련이 있습니다.

→ _____

(10)   세제와 세탁기는 관련이 있습니다.

→ _____

📢 다음의 두 단어가 왜 관련되어 있는지 설명해 보세요.

(11) 엄마와 아빠는 관련이 있습니다.

→ _____

(12) 학교와 유치원은 관련이 있습니다.

→ _____

(13) 돈과 지갑은 관련이 있습니다.

→ _____

(14) 상의와 하의는 관련이 있습니다.

→ _____

(15) 악어와 악어새는 관련이 있습니다.

→ _____

다음의 두 단어가 왜 관련되어 있는지 설명해 보세요.

(16)   피아노와 악보는 관련이 있습니다.

→ _____

(17)   썰매와 스키는 관련이 있습니다.

→ _____

(18)   붓과 물감은 관련이 있습니다.

→ _____

(19)   칼과 가위는 관련이 있습니다.

→ _____

(20)   키보드와 마우스는 관련이 있습니다.

→ _____

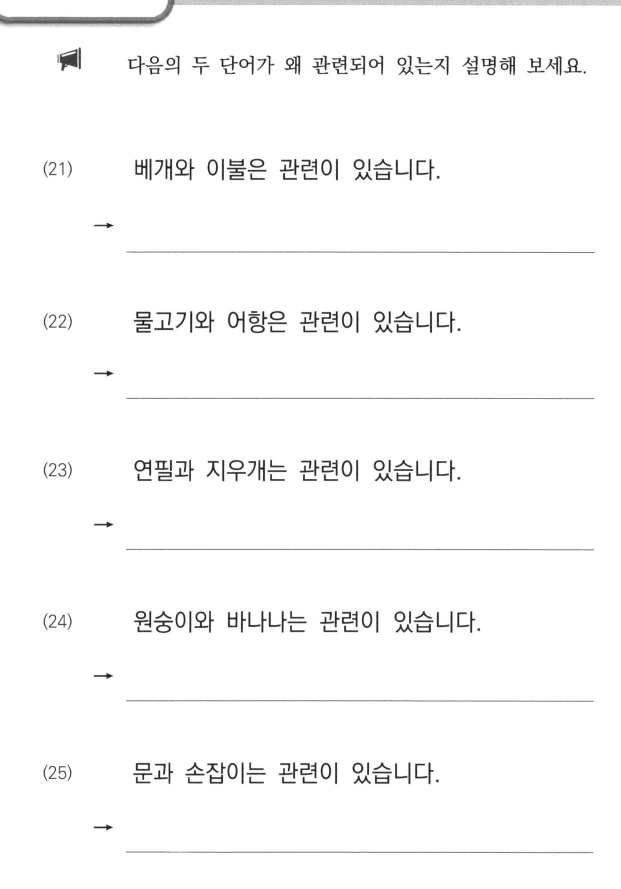 다음의 두 단어가 왜 관련되어 있는지 설명해 보세요.

(21) 베개와 이불은 관련이 있습니다.

→ _____

(22) 물고기와 어항은 관련이 있습니다.

→ _____

(23) 연필과 지우개는 관련이 있습니다.

→ _____

(24) 원숭이와 바나나는 관련이 있습니다.

→ _____

(25) 문과 손잡이는 관련이 있습니다.

→ _____

📢 다음의 상황을 자유롭게 상상하여 최대한 자세하게
대답해 주세요.

(1) 내가 복권에 당첨된다면?

→ 아무에게도 말하지 않고
당첨금을 혼자 쓰겠다.

(2) 성별이 바뀌면 어떨 것 같나요?

→ _____

(3) 원하는 직업을 가질 수 있다면?

→ _____

(4) 만약 투명인간이 된다면?

→ _____

(5) 하늘을 날 수 있다면?

→ _____

문장 표현

📢 다음의 상황을 자유롭게 상상하여 최대한 자세하게 대답해주세요.

(6) 내가 다시 아기가 된다면?

→ _____

(7) 내가 엄마의 엄마가 된다면?

→ _____

(8) 내가 유명한 가수가 된다면?

→ _____

(9) 생일에 비싼 선물을 받게 된다면?

→ _____

(10) 이 세상에 나 혼자 남게 된다면?

→ _____

📢 다음의 상황을 자유롭게 상상하여 최대한 자세하게
대답해주세요.

(11) 100만원이 생긴다면?

→ _____

(12) 미래를 볼 수 있다면?

→ _____

(13) 내가 세계 부자 1위라면?

→ _____

(14) 내가 마술을 부릴 수 있다면?

→ _____

(15) 내가 강아지로 변한다면?

→ _____

문장 표현

다음의 상황을 자유롭게 상상하여 최대한 자세하게 대답해주세요.

(16) 사람의 마음을 읽는 능력이 있다면?

→ _____

(17) 자서전을 쓰게 된다면?

→ _____

(18) 새로운 지역으로 이사를 가게 된다면?

→ _____

(19) 혼자 여행을 가게 된다면?

→ _____

(20) 몸무게가 10kg 빠진다면?

→ _____

다음의 상황을 자유롭게 상상하여 최대한 자세하게 대답해주세요.

(21) 순간이동을 할 수 있게 된다면?

→ _____

(22) 자동차가 하늘을 날아다닌다면?

→ _____

(23) 내가 유명 배우/연예인이 된다면?

→ _____

(24) 소원을 하나 빌 수 있다면?

→ _____

(25) 동물과 대화할 수 있게 된다면?

→ _____

실어증 회복 챌린지

언어재활 워크북

문단 이해

❖ 짧은 글 이해

❖ 짧은 글 이해 (추론)

📢 제시된 글을 잘 읽고 질문에 답해보세요.

색과 맛, 계절과 지역, 자연과 인간이 한데 어울려 조화와 융합을 이루는 것이 비빔밥 정신이다. 흰밥 위에 갖가지 나물과 고기볶음, 튀각 등을 올려 비벼 먹는 비빔밥은 우리와 외국인 모두 첫손으로 꼽는 우리나라의 대표 음식이다. 1800년대 말부터 각종 문헌에 나타나기 시작한 비빔밥은 1990년대 초에 처음 대한항공 기내식으로 채택되었는데, 단시간 내에 세계인의 입맛을 사로잡아 지금은 전 세계 기내식 가운데 가장 인기 있는 음식 중 하나로 꼽히고 있다.

① 이글은 무엇과 관련된 글인가요? <u>비빔밥</u>
② 비빔밥 정신은 무엇인가요? <u>조화와 융합</u>
③ 비빔밥에는 무엇이 들어가나요? <u>밥,고기볶음,나물,튀각 등</u>

의사는 의료인으로서, 사람의 병을 진단하고 치료하는 일을 업으로 하며 국가 면허를 취득한 사람이다. 면허 없이 치료하면 불법이다. 아무리 사람을 잘 진단하고 치료해도, 공인된 면허를 취득하지 않으면 법으로 금지된다. 면허는 국가에 한정되는 경우가 많아, 한국 의사가 일본에 가서 치료하거나, 미국 의사가 한국에 와서 진료하면 무면허 의료행위로 처벌받는다. 규정된 조건과 절차를 거쳐 해당 국가의 면허를 반드시 취득해야만 한다.

① 다음은 무엇과 관련된 글인가요?
② 한국 의사가 의료행위를 할 수 있는 곳은 어디입니까?
③ 의사가 하는 일은 무엇입니까?

📢 제시된 글을 잘 읽고 질문에 답해보세요.

봄은 한 해의 네 철 가운데 첫 번째 철로 겨울과 여름 사이이며, 달로는 3~5월, 절기로는 입춘부터 입하 전까지를 이른다. 인생의 한창때를 비유적으로 이르기도 하며 희망찬 앞날이나 행운을 비유적으로 이르기도 한다.

① 이글은 무엇과 관련된 글인가요?
② 봄은 몇 번째 계절인가요?
③ 봄 다음에 어떤 계절이 오나요?

삼계탕은 여름철 대표 보양식이다. 삼계탕을 파는 맛집들이 많지만, 집에서 만들어 먹는 삼계탕이야말로 여름철 진정한 보양식이라고 할 수 있다. 삼계탕을 만들 때에는 인삼, 대추, 황기, 찹쌀 등이 들어간다.

① 다음은 무엇과 관련된 글인가요?
② 삼계탕은 어느 계절 대표 보양식인가요?
③ 삼계탕에 들어가는 재료는 무엇인가요?

맷돌은 곡식을 가는 데 쓰는 기구로 둥글넓적한 돌 두 짝을 포개고 윗돌 아가리에 갈 곡식을 넣으면서 손잡이를 돌려서 간다. 콩, 녹두, 밀 등의 곡물을 가는 데 쓰였고 믹서기의 조상 격이다.

① 맷돌은 무엇인가요?
② 오늘날의 맷돌은 무엇인가요?
③ 맷돌로 무엇을 갈았나요?

📢 제시된 글을 잘 읽고 질문에 답해보세요.

비행기는 날개가 달린 교통수단의 일종이다. 항공기와 단어가 비슷해 보이지만, 항공기는 헬리콥터나 글라이더 등도 포함하는 의미이다. 즉 항공기는 비행기를 포함하는 개념이며, 항공기에 우주선이나 미사일 등도 포함하면 '비행체'가 된다.

① 다음은 무엇과 관련된 글인가요?
② 비행기와 비슷한 단어는 무엇인가요?
③ 비행체에는 무엇이 있나요?

삽살개는 머리가 크고 털이 많아 귀신이나 잡귀를 쫓는 영험한 기운이 있다는 뜻의 '삽'자를 넣어 통칭 '삽살개'라고 하였다. 이름이 말해주듯이 귀신을 쫓을 만큼 용감하고 당당하다. 길고 두터운 털은 추위에서 지켜주고 외부의 충격을 완화시키는 갑옷 역할을 한다. 주인에게 관심이 많고 충성심이 강하다. 경계심이 많으나 가볍게 행동하지는 않는다.

① 다음은 무엇과 관련된 글인가요?
② '삽살개'라는 이름의 뜻은 무엇인가요?
③ 삽살개의 길고 두터운 털은 어떤 역할을 하나요?

아파트는 공동주택의 건축 양식 중 하나다. 5층 이상의 건물을 층마다 여러 집으로 일정하게 구획하여 각각의 독립된 주거 가구가 거주할 수 있도록 만든 주거 형태를 뜻한다.

① 다음은 무엇과 관련된 글인가요?
② 아파트는 어떤 건축 양식인가요?
③ 아파트는 몇 층 이상인가요?

📢 제시된 글을 잘 읽고 질문에 답해보세요.

교사는 유치원, 초등학교, 중학교, 고등학교에서 학생들을 교육하고 지도하는 전문가이다. 교사들이 하는 일은 다양한데, 주로 수업을 계획하고 진행하거나 학생들에게 과제와 시험을 내주는 일, 학생들을 지도하고 지원하는 일을 한다. 교사는 동시에 학부모와 학교 관리자들과 협력하여 학생들에게 효과적인 학습환경을 조성하는 역할을 담당하기도 한다.

① 다음은 무엇과 관련된 글인가요?
② 교사는 일하는 곳은 어디인가요?
③ 교사가 하는 일은 무엇인가요?

장갑은 손을 보호하고 따뜻하게 유지할 수 있도록 만들어진 보호구이다. 가죽, 직물, 플라스틱 등 다양한 재료로 만들어지며, 다양한 목적에 따라 디자인이 달라진다. 일부 장갑은 안감을 끼우거나 보온재를 넣어 따뜻하게 유지할 수 있도록 제작되어 있다. 장갑은 건설, 정비, 조립 등의 작업에서 사용될 수 있으며, 스포츠나 운동할 때도 착용할 수 있다.

① 다음은 무엇과 관련된 글인가요?
② 장갑은 어떤 재료로 만들어지나요?
③ 장갑은 어떤 작업에서 사용될 수 있나요?

📢 제시된 글을 잘 읽고 질문에 답해보세요.

숭례문은 1962년 12월 20일 국보로 지정되었다. 현존하는 서울의 목조 건물(木造建物) 중 가장 오래된 건물로, 2008년 2월 10일에 발생한 화재로 2층 문루가 소실되고 1층 문루 일부가 불에 탔다. 홍예문과 석축은 남았다.

① 다음은 무엇과 관련된 글인가요?
② 숭례문이 국보로 지정된 날은 언제인가요?
③ 2008년 2월 10일에 발생한 화재로 어떤 일이 생겼나요?

토마토는 우리말로 '일년감'이라 하며, 한자명은 남만시(南蠻柿)라고 한다. 우리나라에서는 토마토를 처음에는 관상용으로 심었으나 차츰 영양가가 밝혀지고 밭에 재배하여 대중화되었다. 요즘은 비닐하우스 재배도 하여 일 년 내내 먹을 수 있다.

① 다음은 무엇과 관련된 글인가요?
② 토마토를 부르는 말은 무엇이 있나요?
③ 토마토가 대중화된 계기가 무엇인가요?

혼저옵서예는 제주도 사투리로, 제주도 여행을 갔을 때 식당이나 카페 등에서 흔히 볼 수 있다. 대부분의 사람들은 '혼자 오세요'라는 말로 해석을 한다. 하지만 이것은 사람을 반갑게 맞이할 때 하는 인사인 '어서 오세요'라는 뜻이다.

① 다음은 무엇과 관련된 글인가요?
② 혼저옵서예는 어디 지역에서 사용하는 말인가요?
③ 대부분의 사람들은 어떻게 해석 하나요?

📢 제시된 글을 잘 읽고 질문에 답해보세요.

비타민은 인체에서 필수적으로 필요한 영양소 중 하나로, 일반적으로 식품을 통해 섭취됩니다. 다양한 비타민이 있으며 각각 다른 역할과 기능을 수행합니다. 가장 잘 알려진 비타민으로는 비타민 C, D, E, K, 그리고 비타민 B군(비타민 B1, B2, B3, B5, B6, B7, B9, B12)이 있습니다. 식품에서 비타민을 충분히 섭취하지 못할 경우, 비타민 보충제를 복용할 수도 있습니다. 하지만 항상 의사나 영양사와 상의한 후 복용해야 합니다.

① 다음은 무엇과 관련된 글인가요?
② 비타민의 종료는 어떤 것이 있나요?
③ 비타민은 어떻게 섭취할 수 있나요?

코끼리는 지구상에서 가장 큰 육상 동물로, 일부 종은 5000 킬로그램 이상까지 자란다. 그들은 매우 사회성이 높은 동물로 종종 여성 우두머리인 여왕 코끼리가 이끄는 대규모 무리를 이룬다. 코끼리는 초식동물이며 잎, 과일 등을 먹기 위해 하루에 최대 16시간을 보낸다. 코끼리는 수명이 길어서 몇몇 종은 야생에서 70년 이상을 살 수 있다. 하지만 코끼리는 서식지 파괴, 상아 송곳니를 위한 밀렵, 인간-코끼리 갈등 등으로 멸종 위기에 처해있다.

① 다음은 무엇과 관련된 글인가요?
② 코끼리는 주로 무엇을 먹고사나요?
③ 코끼리는 어떠한 이유로 멸종 위기에 처하게 됐나요?

📢 제시된 글을 잘 읽고 무엇을 설명하는지 말해보세요.

○○은 두 개의 날을 교차시켜 물체를 자를 수 있도록 만들어진 도구로 실생활에서 널리 쓰인다. 겉모양만 봐서는 잘 연상되지 않지만, 지렛대의 종류 중 하나로 1종 지레에 속한다. ○○의 종류로 문구용, 공구용, 미용용, 원예용, 주방용, 의료용 등이 있다.

○○은 무엇일까요? <u>가위</u>

○○은 물에 쉽게 용해되지 않으며 미끈미끈한 성질의 액체. 보통은 탄소화합물이다. 크게 동물유, 식물유, 광물유로 나뉘는데, 그 원료에 따라 빛깔과 성질이 다르고 쓰임새가 다양하다. 혼합물에서 ○○성분을 유분(油分)이라고도 한다.

○○은 무엇일까요?

조선 시대 복날에는 왕이 고위 관료들에게 더위를 이기고 업무에 매진하라는 의미로 차가운 ○○을 주었다고 한다. 당시 ○○은 매우 귀해서 관리하는 관료가 따로 있었으며 열사병 치료 약으로도 쓰였다. 동빙고와 서빙고에서 ○○을 관리했다.

○○은 무엇일까요?

○○는 벌목과 자연 파괴 등으로 서서히 멸종 위기에 처한 생물 중 하나입니다. 아름다운 날개와 다양한 색상의 몸체가 특징이다. ○○는 대개 꽃가루를 수집하기 위해 꽃에서 꽃으로 날아다니며 꽃에 깊숙이 꽃수액을 먹는다. ○○는 애벌레와 번데기 두 단계의 생명 주기를 거치며, 번데기는 까마귀, 벌새, 개미 매미 등 많은 동물에게 먹이가 된다.

○○은 무엇일까요?

📢 제시된 글을 잘 읽고 무엇을 설명하는지 말해보세요.

OOO는 한국에서 유래된 격투기로, 손과 발을 사용하여 상대방을 공격하고 방어하는 기술을 익히는 스포츠이다. OOO의 핵심 가치는 예의, 인내, 극기, 자제 등이며, 체력과 민첩성을 기르는 데 좋다. OOO는 올림픽 종목으로도 인정받았으며, 세계 각국에서 수많은 사람들이 OOO를 배우고 있다. OOO는 단체전뿐 아니라 개인전에서도 경기가 열리며, 대회 등에서 선수들이 경쟁을 펼치고 있다.

OOO은 무엇일까요?

국제OOO위원회의 주관하에 동·하계 각각 4년에 한 번 개최되는 전 세계 최대 규모의 종합 스포츠 축제이며, 세계에서 가장 권위 있는 스포츠 대회이다. 특히 하계OOO은 단순히 스포츠 축제를 넘어 지구촌에서 열리는 모든 축제와 행사 중 가장 규모가 큰 지구촌 최대의 이벤트이다

OOO은 무엇일까요?

OOOO는 이 사이에 낀 이물질을 제거하기 위해 사용하는 것으로, 보통 플라스틱이나 나무로 만들어지지만, 녹말로 만들기도 한다. OOOO는 한쪽 혹은 양쪽 끝에 뾰족한 부분을 이용하여 이물질을 제거해내는 용도로 사용된다.

OOOO은 무엇일까요?

OO는 시간을 재는 기계이다. 인간이 만든 이 오래된 장치는 계절의 변화, 탄생, 사망, 활동이나 상황의 진행시간을 측정하는 데 사용된다.

OO은 무엇일까요?

문단 이해

 제시된 글을 잘 읽고 무엇을 설명하는지 말해보세요.

'○○ 빠지다'라는 표현은 재미있는 말이나 이야기를 듣고 크게 웃을 때 쓰는 말이다. ○○은 엄마가 배 속에 있는 영양분을 전해주던 흔적이다.

○○은 무엇일까요?

○○○는 고래목 이빨고래아목에 속하는 종류로 고래목에서는 가장 인간과 친숙하게 잘 알려진 동물이다. 고래류 중에서 주둥이가 튀어나온 특징이 있다. 인간이 보기에 마치 웃는 모습을 하고 있어서 ○○○가 항상 즐거울 것이라는 잘못된 오해를 하는 사람들이 많다. 그러나 그들은 외관상 주둥이의 모양이 그렇게 생겨 있을 따름이다.

○○○은 무엇일까요?

○○○는 여름철 필수 가전이다. 이 가전제품은 선풍기와 기능은 같지만 온도를 설정하여 훨씬 시원하게 할 수 있다. ○○○은 큰 부피와 비싼 가격이 단점이긴 하지만 없는 집이 없을 정도로 여름철 꼭 필요한 가전이다.

○○○은 무엇일까요?

○○○○는 중학교에서 받은 교육의 기초 위에 중등교육 및 기초적인 전문교육을 하는 것을 목적으로 한다. ○○○○에 입학할 수 있는 사람은 중학교를 졸업한 사람이다.

○○○○은 무엇일까요?

📢 제시된 글을 잘 읽고 무엇을 설명하는지 말해보세요.

○○은 손을 보호하고 따뜻하게 유지할 수 있도록 만들어진 보호구이다. 가죽, 직물, 플라스틱 등 다양한 재료로 만들어지며, 다양한 목적에 따라 디자인이 달라진다. 일부는 안감을 끼우거나 보온재를 넣어 따뜻하게 유지할 수 있도록 제작되어 있다. ○○은 건설, 정비, 조립 등의 작업에서 사용될 수 있으며, 스포츠나 운동할 때도 손에 착용할 수 있다.

○○은 무엇일까요?

○○○는 열대 지방에서 자라는 과일로, 길쭉하고 곡선형의 모양을 가지고 있다. 껍질는 노란색이며 내부에는 부드러운 크림색 과육이 있다. ○○○는 비타민 C, 칼륨, 식이 섬유 등 다양한 영양소를 가지고 있어 건강에 좋다. 또한, 요리에 사용할 수 있는 다양한 방법이 있어서 다양하게 활용된다. 세계적으로 가장 많이 소비되는 과일 중 하나이며, 신선한 것부터 가공된 제품까지 다양한 형태로 시장에서 구할 수 있다. 원숭이가 좋아하는 과일로 알려져 있다.

○○은 무엇일까요?

문단 표현

❖ 순서 설명하기

❖ 의견 주장하기

❖ 강점 경험 이야기하기

❖ 인생질문

주제에 대해 순서를 구체적으로 구분하여 말씀해주세요.
최대한 4단계 이상으로 구분하여 말씀해보세요.

(1) 라면을 끓이는 방법

→ 냄비에 물을 붓는다.

→ 물을 끓인다.

→ 스프와 면발을 넣는다. 달걀도 넣는다.

→ 익을 때 까지 잘 저어준다.

(2) 머리 감기

→

→

→

→

(3) 씨앗 심기

→

→

→

→

주제에 대해 순서를 구체적으로 구분하여 말씀해주세요.
최대한 4단계 이상으로 구분하여 말씀해보세요.

(4) 세안하기

→

→

→

→

(5) 컴퓨터 키는 방법

→

→

→

→

(6) 핸드폰으로 전화를 거는 방법

→

→

→

→

📢 주제에 대해 순서를 구체적으로 구분하여 말씀해주세요.
최대한 4단계 이상으로 구분하여 말씀해보세요.

(7) 시리얼을 먹는 방법

→

→

→

→

(8) 치킨 주문하기

→

→

→

→

(9) 미용실에서 파마하기

→

→

→

→

📢 주제에 대해 순서를 구체적으로 구분하여 말씀해주세요.
최대한 4단계 이상으로 구분하여 말씀해보세요.

(10) 다른 사람에게 돈을 송금하기

→

→

→

→

(11) 택배 부치기

→

→

→

→

(12) 병원 진료받기

→

→

→

→

📢 주제에 대해 순서를 구체적으로 구분하여 말씀해주세요.
최대한 4단계 이상으로 구분하여 말씀해보세요.

---

(13) 계란 프라이 만들기

→

→

→

→

---

(14) ATM에서 돈 뽑기

→

→

→

→

---

(15) 영화 예약하기

→

→

→

→

주제에 대해 순서를 구체적으로 구분하여 말씀해주세요.
최대한 4단계 이상으로 구분하여 말씀해보세요.

(16) 빨래하기

→

→

→

→

(17) 집 청소하기

→

→

→

→

(18) 공원 산책하기

→

→

→

→

📢 주제에 대해 순서를 구체적으로 구분하여 말씀해주세요.
최대한 4단계 이상으로 구분하여 말씀해보세요.

(19) 세차하기

→

→

→

→

(20) 적금하기

→

→

→

→

(21) 달걀 삶는 법

→

→

→

→

질문에 의견을 말씀해주세요. 1개만 선택하여 최대한
설득력 있는 이유와 함께 주장해 주세요.
최소 2개 이상의 문장으로 구성하여 말씀해주세요.

---

(1) 여름 더운 날씨에 선풍기가 좋을까? 에어컨이 좋을까?

→ 선풍기가 좋다.

→ 에어컨 바람은 오래 쐬면 머리가 아프고
전기세가 많이 나온다

---

(2) 나랑 성격이 같은 사람이 좋은가? 반대인 사람이 좋은가?

→

→

---

(3) 여행을 갈 때 계획적인 것이 좋은가? 즉흥적인 것이
좋은가?

→

→

문단 표현

질문에 의견을 말씀해주세요. 1개만 선택하여 최대한 설득력 있는 이유와 함께 주장해 주세요.
최소 2개 이상의 문장으로 구성하여 말씀해주세요.

(4) 아파트는 낮은 층이 좋은가? 높은 층이 좋은가?

→

→

(5) 인생에 돈이 중요한가? 건강이 중요한가?

→

→

(6) 여름 휴가를 산으로 갈까? 바다로 갈까?

→

→

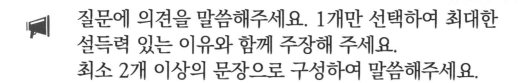 질문에 의견을 말씀해주세요. 1개만 선택하여 최대한
설득력 있는 이유와 함께 주장해 주세요.
최소 2개 이상의 문장으로 구성하여 말씀해주세요.

(7) 시간이 있다면 취미활동을 할까? 잠을 잘까?

→

→

(8) 자녀를 낳는다면 딸이 좋을까? 아들이 좋을까?

→

→

(9) 이성을 볼 때 성격이 중요한가? 외모가 중요한가?

→

→

문단 표현

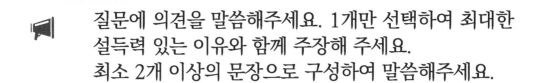 질문에 의견을 말씀해주세요. 1개만 선택하여 최대한 설득력 있는 이유와 함께 주장해 주세요.
최소 2개 이상의 문장으로 구성하여 말씀해주세요.

(10) 김밥에는 단무지가 더 어울릴까? 김치가 더 어울릴까?

→

→

(11) 식물을 가꿀 때 좋은 흙이 더 중요할까?
섬세한 보살핌이 더 중요할까?

→

→

(12) 간편한 식사로 햄버거가 좋을까? 김밥이 좋을까?

→

→

질문에 의견을 말씀해주세요. 1개만 선택하여 최대한
설득력 있는 이유와 함께 주장해 주세요.
최소 2개 이상의 문장으로 구성하여 말씀해주세요.

(13) 꿈을 좇는 것이 좋을까? 현실에 순응하는 것이 좋을까?

 →

→

(14) 시간여행을 간다면 과거로 가면 좋을까?
미래로 가면 좋을까?

 →

→

(15) 추운 겨울에 차가운 커피를 먹는 게 좋을까?
뜨거운 커피를 먹는게 좋을까?

 →

→

언어재활 워크북

문단 표현

질문에 의견을 말씀해주세요. 1개만 선택하여 최대한 설득력 있는 이유와 함께 주장해 주세요.
최소 2개 이상의 문장으로 구성하여 말씀해주세요.

(16) 고양이를 키울까, 강아지를 키울까?

→

→

(17) 인생에 가장 큰 영향을 미치는 사람은 부모일까? 친구일까?

→

→

(18) 성공하기 위해서는 노력이 중요할까? 운이 더 중요할까?

→

→

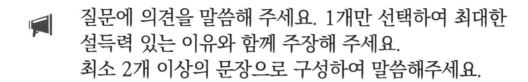 질문에 의견을 말씀해 주세요. 1개만 선택하여 최대한
설득력 있는 이유와 함께 주장해 주세요.
최소 2개 이상의 문장으로 구성하여 말씀해주세요.

(19) 여가시간에 책을 보는 것이 좋을까?
영화를 보는 것이 좋을까?

→

→

(20) 주말 운동으로 산책이 좋을까? 등산이 좋을까?

→

→

(21) 간식으로 빵이 좋을까? 떡이 좋을까?

→

→

문단 표현

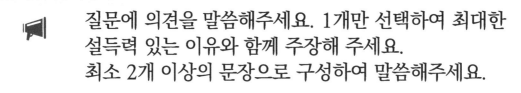 질문에 의견을 말씀해주세요. 1개만 선택하여 최대한 설득력 있는 이유와 함께 주장해 주세요. 최소 2개 이상의 문장으로 구성하여 말씀해주세요.

---

(22) 부부 여행으로 제주도에 갈까? 미국에 갈까?

→

→

---

(23) 저 친구가 나를 화나게 하는데, 기분 나쁘다고 말을 할까? 말하지 말까?

→

→

---

(24) 피곤한데 오늘 약속 취소할까? 취소하지 말까?

→

→

3. 감정 경험 이야기하기

📢 다음의 감정을 느꼈던 경험을 이야기해주세요. 어떤 상황에서 다음의 감정을 느꼈는지 자세하게 말씀해주세요.

(1) 공포를 느낀 적이 있나요?

(2) 억울함을 느낀 적이 있었나요?

(3) 무엇을 할 때 슬펐나요?

(4) 부끄러움을 느낀 적이 있나요?

(5) 놀란 적이 있나요?

(6) 황당함을 느꼈던 적은 언제입니까?

(7) 산뜻함을 느꼈던 적은 언제입니까?

(8) 기뻤던 적은 언제입니까?

(9) 화가 나는 때는 언제였나요?

문단 표현

다음의 감정을 느꼈던 경험을 이야기해주세요. 어떤 상황에서 다음의 감정을 느꼈는지 자세하게 말씀해주세요.

(10) 설레이는 순간은 언제였나요?

(11) 피곤했던 순간은 언제였나요?

(12) 우울했던 순간은 언제였나요?

(13) 외로울 때는 언제입니까?

(14) 짜증날때는 언제입니까?

(15) 행복했던 때는 언제입니까?

(16) 답답했을 때는 언제입니까?

(17) 귀찮을 때는 언제입니까?

(18) 홀가분함을 느꼈던 적은 언제입니까?

📢 다음의 감정을 느꼈던 경험을 이야기해주세요. 어떤 상황에서 다음의 감정을 느꼈는지 자세하게 말씀해주세요.

(19) 감동을 느꼈던 적은 언제입니까?

(20) 자랑스러움을 느꼈던 때는 언제입니까?

(21) 그리움을 느꼈던 적은 언제입니까?

(22) 슬픔을 느꼈던 적은 언제입니까?

(23) 뿌듯함을 느꼈던 적은 언제입니까?

(24) 귀여움을 느꼈던 적은 언제입니까?

(25) 아쉬움을 느꼈던 적은 언제입니까?

(26) 감사함을 느꼈던 적은 언제입니까?

(27) 사랑을 느꼈던 적은 언제입니까?

문단 표현

다음의 감정을 느꼈던 경험을 이야기해주세요. 어떤 상황에서 다음의 감정을 느꼈는지 자세하게 말씀해주세요.

(28) 첫 여행을 갔던 적은 언제입니까?

(29) 후회했던 때는 언제입니까?

(30) 성취감을 느꼈던 적은 언제입니까?

(31) 지루함을 느꼈던 적은 언제입니까?

(32) 안타까운 감정을 느낀 적이 있습니까?

(33) 미안함을 느꼈던 적은 언제입니까?

(34) 사랑스러움을 느낀적이 있습니까?

(35) 든든함을 느꼈던 적은 언제입니까?

(36) 가슴이 웅장하게 느껴졌던 적은 언제입니까?

4. 인생 질문

📢 인생의 의미와 행복에 대한 질문입니다. 곰곰이 생각해보고 정리해서 말씀해주세요.

(1) 무엇을 할 때 가장 행복한가요?

(2) 어떤 삶을 살고 싶은가요?

(3) 누구와 함께할 때 기쁜가요?

(4) 뿌듯함은 무엇일까요?

(5) 진정한 친구란 무엇일까요?

(6) 가장 마지막까지 기억하고 싶은 기억은 무엇인가요?

(7) 나는 앞으로 어떤 삶을 살아야 할까요?

(8) 지금까지의 삶 중에 바꾸고 싶은 것이 있나요?

(9) 다시 태어나도 똑같은 길을 선택할 것인가요?

문단 표현

인생의 의미와 행복에 대한 질문입니다. 곰곰이 생각해보고 정리해서 말씀해주세요.

(10) 죽기 전에 어떤 것을 해야할까요?

(11) 내 인생에서 가장 1순위는 무엇인가요?

(12) 자존감이 높다고 생각하나요?

(13) 믿음이란 무엇인가요?

(14) 일을 할 때 가장 중요한 태도는 무엇이라고 생각하나요?

(15) 이것 하나만큼은 자신있다고 할 수 있는 것은 무엇인가요?

(16) 꿈이란 무엇인가요?

(17) 가슴을 뛰게 하는 것은 무엇인가요?

(18) 고마움을 느끼게 한 것들은 무엇이 있나요?

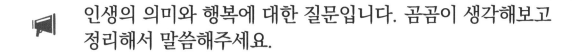 인생의 의미와 행복에 대한 질문입니다. 곰곰이 생각해보고 정리해서 말씀해주세요.

(19) 내 삶을 지탱해 주는 것들은 무엇이 있나요?

(20) 사는 동안 무엇을 배워야 하나요?

(21) 어떻게 사랑해야 합니까?

(22) 죽음이란 어떤 의미인가요?

(23) 희망이란 무엇인가요?

(24) 가족이란 어떤 의미인가요?

(25) 가장 행복했던 시절이 언제인가요?

(26) 내 인생에서 가장 잘한 점은 무엇인가요?

(27) 나에게 가장 큰 힘이 되었던 사람은 누구인가요?

문단 표현

인생의 의미와 행복에 대한 질문입니다. 곰곰이 생각해보고 정리해서 말씀해주세요.

(28) 10년 뒤 나는 어떻게 살고 있을까요?

(29) 내가 특별히 아끼고 사랑하는 것들이 있나요?

(30) 지금까지 삶의 목표가 무엇이었나요?

(31) 주변 사람들에게 어떻게 애정을 표현합니까?

(32) 좋은 삶이란 무엇입니까?

(33) 성공이란 무엇인가요?

(34) 부끄럽지 않은 삶이란 무엇인가요?

(35) 친구란 어떤 존재 인가요?

(36) 멋진 삶이란 무엇일까요?

참고 문헌

Brubaker, S. H. (2006). Workbook for Aphasia: Exercises for Expressive and Receptive Language Functioning. USA: Wayne State University Press.

Language Intervention Strategies in Aphasia and Related Neurogenic Communication Disorders. (2008). UK: Wolters Kluwer Health/Lippincott Williams & Wilkins.

Tomlin, K. J. (2002). WALC 1: Workbook of Activities for Language and Cognition : Aphasia Rehab. USA: LinguiSystems.

Robey, R. R. (1998). A meta-analysis of clinical outcomes in the treatment of aphasia.Journal of Speech, Language, and Hearing Research,41(1), 172-187.

Thompson, C. K., Worrall, L., & Martin, N. (2008). Approaches to aphasia treatment.Aphasia rehabilitation. The impairment and its consequences, 3-24.

강영애 (2013). 신경언어장애 환자를 위한 언어치료 워크북. 대한민국: 충남대학교출판문화원.

권미선, 신상은, 최현주 (2019). 신경의사소통장애. 대한민국: 박학사.

김운정, 오선정 (2021). 언어치료 워크북: 이해편(뇌졸중 환자와 보호자를 위한). 대한민국: 학지사.

김정완 (2018). 인지재활 워크북(언어재활사를 위한). 대한민국: 이담북스.

김주연, 서혜경 (2021). 언어재활 워크북: 이해력 편. 대한민국: 학지사.

김향희 (2021). 신경언어장애. 대한민국: 시그마프레스.

서혜경, 김주연 (2021). 언어재활 워크북: 표현력 편. 대한민국: 학지사.

오선정, 김운정 (2021). 언어치료 워크북: 표현편(뇌졸중 환자와 보호자를 위한). 대한민국: 학지사.